1535 — Rabelais s'absente de Lyon (janvier à mai). **Second départ pour Rome** (juillet) à la suite de Jean du Bellay, devenu cardinal. Rabelais correspond avec Geoffroy d'Estissac.

1536 — Rabelais **obtient du pape un indult** l'absolvant de la faute qu'il avait commise en abandonnant son couvent (janvier). — Retour pour Lyon, puis départ pour Paris (juillet). Rabelais devient **chanoine au chapitre de Saint-Maur-des-Fossés.**

1537 — Rabelais prend à **Montpellier** les grades de licencié et de **docteur en médecine,** professe la médecine à Lyon et à Montpellier, dissèque un pendu à Lyon.

1538 — Mort de Théodule, fils de Rabelais, âgé de deux ans. Rabelais **assiste à l'entrevue d'Aigues-Mortes** entre François Ier et Charles Quint.

1540 — Rabelais séjourne à Turin en compagnie de Guillaume du Bellay, gouverneur du Piémont, puis à Chambéry.

*
* *

1543 — **Nouvelle censure** de *Gargantua* et de *Pantagruel.* — Mort des protecteurs de Rabelais, Guillaume du Bellay et Geoffroy d'Estissac. — Rabelais est nommé maître des requêtes.

1545 — Rabelais obtient un privilège du roi.

1546 — Parution du *Tiers Livre;* censure de cet ouvrage par la Sorbonne. Rabelais doit s'enfuir à **Metz,** où il devient **médecin de la ville.**

1547 — Séjour à Rome auprès du cardinal du Bellay.

1548 — Publication partielle à Lyon du *Quart Livre.*

1550 — Rabelais obtient un privilège du roi pour le *Quart Livre.*

1551 — Rabelais obtient **la cure** de Saint-Martin **de Meudon** et celle de Saint-Christophe de Jambet.

1552 — Parution du *Quart Livre.* Nouvelle condamnation en Sorbonne. Rumeurs suivant lesquelles Rabelais serait incarcéré.

1553 — Rabelais résilie ses deux cures. **Mort de Rabelais à Paris** (avril).

1562 — Parution de *l'Ile sonnante :* seize premiers chapitres du *Cinquième Livre.*

1564 — Parution du *Cinquième Livre* en entier.

Rabelais a, probablement, quarante-deux ans de moins que Léonard de Vinci, trente-sept ans de moins qu'Erasme, vingt ans de moins que l'Arioste, dix-neuf ans de moins que Michel-Ange, onze ans de moins que Luther, deux ans de plus que Marot, quinze ans de plus que Calvin, seize ans de plus que Bernard Palissy, vingt-huit ans de plus que Joachim du Bellay, trente ans de plus que Ronsard, trente ans de plus que Camoëns, trente-neuf ans de plus que Montaigne.

RABELAIS ET SON TEMPS

	la vie et l'œuvre de Rabelais	le mouvement intellectuel et artistique	les événements politiques
1494	(Date probable.) Naissance de François Rabelais à la Devinière, près de Chinon.	Mort de Pic de La Mirandole.	Début des guerres d'Italie : première expédition de Charles VIII. Naissance de François I°.
1511	(Date probable.) Entrée au couvent des cordeliers de Fontenay-le-Comte.	Érasme : De ratione studii. Lemaire de Belges : De la différence des schismes et des conciles.	Le pape Jules II et la Sainte Ligue contre Louis XII.
1520-1521	Moine à Fontenay-le-Comte. Correspondance avec G. Budé.	Machiavel : la Mandragore. L'Arioste : le Nécromancien. Début de la construction du château de Chambord.	Entrevue du camp du Drap d'or. La flotte de Magellan accomplit pour la première fois le tour du monde. Excommunication de Luther.
1525	Autorisation pontificale de passer chez les bénédictins de Maillezais.	Traduction du Nouveau Testament de Tindale en Angleterre.	Défaite de Pavie. François I° prisonnier à Madrid.
1528	Premier séjour à Paris.	Érasme : Ciceronianus, Ph. de Commines : Chronique de Charles VIII. Embellissements du Louvre. Début des travaux au château de Fontainebleau.	Clément VII fait enquêter sur le divorce d'Henri VIII d'Angleterre.
1530	Abandon de la vie monastique. Études de médecine à Paris et à Montpellier.	G. Budé : De philologia. Th. Wyatt écrit les premiers sonnets en anglais.	Diète et Confession d'Augsbourg.
1532	Médecin à l'hôtel-Dieu de Lyon. Pantagruel.	Cl. Marot : l'Adolescence clémentine. Lefèvre d'Étaples : traduction de la Bible. R. Estienne : Thesaurus linguae latinae. L'Arioste : Roland furieux.	Annexion définitive de la Bretagne à la France. Prise de Florence par les Impériaux.

1534	Premier voyage à Rome avec Jean du Bellay. *Gargantua*.	Luther : Bible allemande complète. Marot à Nérac chez Marguerite de Navarre. Michel-Ange : fresques de la chapelle Sixtine. Le Primatice, le Rosso et Benvenuto Cellini décorent Fontainebleau.	Affaire des Placards (18 oct.). Schisme anglican. Fondation de l'ordre des Jésuites par Ignace de Loyola. Jacques Cartier atteint le Canada par le Saint-Laurent.
1535	Deuxième voyage en Italie avec Jean du Bellay.	Édits royaux réglementant l'imprimerie. Exil de Marot à Ferrare.	Alliance avec les Turcs. Établissement des Espagnols sur la Plata, au Pérou, au Chili.
1537	Licencié et docteur en médecine. Enseignement donné à Lyon et à Montpellier.	L. de Baïf : traduction d'*Électre* de Sophocle. Première Bible anglaise complète.	Annexion de la Norvège au royaume de Danemark. Trêve de Monçon entre Charles Quint et François 1er.
1540	Séjour à Turin, puis à Chambéry.	Ignace de Loyola : *Constitutions des jésuites*.	Paul III approuve le statut des Jésuites.
1546	Le *Tiers Livre*. Censure de l'ouvrage. Exil à Metz; exercice de la médecine à Lyon.	Mort de Luther. Supplice d'E. Dolet. Mélanchthon : *Vie de Luther*. P. Lescot commence le nouveau Louvre.	Guerre de Charles Quint contre la Ligue de Smalkalde (princes protestants).
1551	Curé de Meudon.	Pontus de Tyard : *Erreurs amoureuses*. Th. de Bèze : 37 *Psaumes* en vers.	Cinquième guerre entre la France et Charles Quint.
1552	Le *Quart Livre*. Condamnation du livre.	Ronsard : *Amours* (de Cassandre).	Alliance des princes protestants et de Henri II.
1553	Mort de Rabelais à Paris.	J. du Bellay à Rome. Camoëns part pour les Indes orientales.	Avènement de Marie Tudor. Les Trois Évêchés (Metz, Toul, Verdun) occupés par Henri II.

BIBLIOGRAPHIE SOMMAIRE

Abel Lefranc — *Œuvres de Rabelais*, avec introduction et notes critiques (Paris, Champion, tomes I et II, 1912; tomes III et IV, 1922; tome V, 1931).

Georges Lote — *la Vie et l'œuvre de François Rabelais* (Aix-en-Provence, E. Fourcine, 1938).

John Carpentier — *Rabelais et le génie de la Renaissance* (Paris, Tallandier, 1941).

Jacques Boulenger — *Rabelais* (Paris, Colbert, 1942).

Lucien Febvre — *le Problème de l'incroyance au XVIe siècle. La religion de Rabelais* (Paris, Albin Michel, 1947).

Étienne Gilson — *Rabelais franciscain* (Paris, Vrin, 1955).

Henri Lefebvre — *Rabelais* (Paris, Éditeurs français réunis, 1955).

V.-L. Saulnier — *le Dessein de Rabelais* (Paris, S. E. D. E. S., 1957).

Manuel de Dieguez — *Rabelais par lui-même* (Paris, Éd. du Seuil, 1960).

Michel Bakhtine — *l'Œuvre de François Rabelais et la Culture populaire au Moyen Age et sous la Renaissance* (Paris, Gallimard, 1970).

Floyd Gray — *Rabelais et l'écriture* (Paris, Nizet, 1971).

Michel Butor et Denis Hollier — *Rabelais ou C'était pour rire* (Paris, Larousse, 1972).

Nicole Aronson — *les Idées politiques de Rabelais* (Paris, Nizet, 1973).

Madeleine Lazard — *Rabelais et la Renaissance* (Paris, P. U. F., 1979).

CLASSIQUES LAROUSSE

Collection fondée en 1933 par FÉLIX GUIRAND
continuée par
LÉON LEJEALLE (1949 à 1968) et JEAN-POL CAPUT (1969 à 1972)
Agrégés des Lettres

RABELAIS

GARGANTUA

extraits

avec une Notice biographique, une Notice historique et littéraire,
une Documentation thématique, des Sujets de devoirs,
des Notes explicatives et un Questionnaire

par

JEAN-CHRISTIAN DUMONT

*Ancien élève de l'Ecole normale supérieure
Agrégé des Lettres
Maître assistant à la Faculté des lettres
et sciences humaines de Nanterre*

LIBRAIRIE LAROUSSE

17, rue du Montparnasse, 75298 PARIS

RÉSUMÉ CHRONOLOGIQUE
DE LA VIE DE FRANÇOIS RABELAIS
1494-1553

1494 (?) — **Naissance de François Rabelais, à la Devinière, près de Chinon**, troisième fils d'Antoine Rabelais, avocat à Chinon, sénéchal de Lerné, substitut des lieutenants généraux et particuliers au siège de Chinon.

1511 (?) — Prise d'habit au **couvent des cordeliers** (franciscains) de Fontenay-le-Comte.

1515-1518 (?) — Rabelais est novice au couvent franciscain de La Baumette, près d'Angers.

1519 (?) — Rabelais entre au couvent franciscain du Puy-Saint-Martin à Fontenay-le-Comte.

1521-1524 — Rabelais correspond avec Budé, se lie avec les humanistes Amy et Tiraqueau.

1524 — Les supérieurs de Rabelais saisissent ses livres grecs.

1525 — Rabelais obtient du pape **l'autorisation de passer dans l'ordre des Bénédictins** et est admis à l'abbaye de Maillezais, qui appartient à son protecteur Geoffroy d'Estissac.

1528 — Rabelais séjourne à Paris et commence peut-être des études de médecine.

1530 — Rabelais **arrive à Montpellier** en habit de prêtre séculier. Il s'inscrit à la faculté de médecine (17 septembre). Il est reçu bachelier en médecine (1er novembre).

1531 — Rabelais fait un cours à la faculté de médecine (du 17 avril au 24 juin) sur les *Aphorismes* d'Hippocrate et l'*Ars parva* de Galien.

★
★ ★

1532 — Rabelais séjourne à **Lyon**; il y publie les *Aphorismes* d'Hippocrate, les *Lettres médicales* de Manardi, le *Testament de Lucius Cuspidius* (faux fabriqué au XVe s.). Il est nommé médecin de l'hôtel-Dieu de Notre-Dame-de-Pitié du Pont-du-Rhône. — Il remet à un libraire le manuscrit du *Pantagruel* et fait un court voyage à Chinon. Il publie la *Pantagruéline Pronostication pour l'an 1533*.

1533 — *Pantagruel* est censuré par la Sorbonne. — Rabelais part pour l'Italie à la suite du prélat Jean du Bellay (8 novembre).

1534 — Séjour à Rome (février-mars), puis retour à Lyon (mai). Édition de la *Topographia Romae antiqua* de Marliani et publication du *Gargantua*. — Rabelais reprend son service dans son hôpital.

© *Librairie Larousse*, 1972.   ISBN 2-03-870137-7

GARGANTUA
1534

NOTICE

PUBLICATION ET CONTEXTE HISTORIQUE

> **Voir l'introduction générale dans le tome consacré à *Pantagruel*.**

L'antériorité de la composition et de la publication de *Pantagruel* par rapport à *Gargantua*, établie par les travaux d'Abel Lefranc, ressort en particulier du chapitre premier du *Gargantua*, où Rabelais renvoie à la généalogie de Pantagruel, et de la fin du titre complet lui-même : *La vie très horrifique du grand Gargantua, père de Pantagruel, jadis composée par M. Alcofribas, abstracteur de quintessence, livre plein de pantagruélisme.*

LES SOURCES

Le mythe folklorique de Gargantua avait déjà fait la matière de plusieurs ouvrages imprimés, dont *la Grande et Merveilleuse Vie de très puissant et redouté roi de Gargantua*, translatée de grec en latin et de latin en français, publiée vers 1533 par F. Girault, et *les Grandes et Inestimables Chroniques du grand et énorme géant Gargantua*, que certains critiques avaient, sans doute à tort, attribuées à Rabelais lui-même. Plusieurs épisodes de *Gargantua* se retrouvent dans ces deux livres.

Les sources antiques sont les mêmes, pratiquement, que pour le *Pantagruel*.

On trouve également des souvenirs de deux épopées burlesques italiennes : les *Macaronées* de Merlin Coccaïe (1520) et le *Morgante Maggiore* de Pulci (1480). *Il Cortegiano*, où Balthasar Castiglione expose quelle sorte d'éducation doit former le nouvel idéal d'homme, l'homme de cour cultivé, est à la base de tout ce que Rabelais dit de la formation tant de Gargantua que des thélémites.

LA RÉALITÉ ET L'ACTUALITÉ

Les domaines de Grandgousier sont en réalité ceux du père de Rabelais : la guerre picrocholine se situe très précisément dans la région de Chinon. Elle est la transposition du procès qu'intentèrent les bateliers de la Loire au seigneur de Lerné en 1528; l'avocat des bateliers, nommé Gallet, comme l'envoyé de Grandgousier, était un parent des Rabelais.

me il a esté. Lisez le septiesme de sa natu
relle histoire, capi. iij. & ne men tabustez
plus lentendement.

Comment le nom fut imposé a
Gargantua : et comment
il humoit le piot.
Chap. vij.

E bon hôme Grandgousier
beuuant, & se rigollant auec-
ques les aultres entendit le
cry horrible que son filz auoit
faict entrant en lumiere de ce monde,
quand il brasmoit demandant, a boyre,

Phot. Larousse.

Un repas de Grandgousier.

Gravure sur bois illustrant le *Gargantua* de Rabelais,
édité à Lyon par François Juste en 1542. — B. N. Imprimés.

GARGANTUA

PROLOGUE DE L'AUTEUR

Buveurs très illustres, [...] Alcibiades, au dialogue de Platon intitulé le Banquet, louant son
précepteur Socrates, sans controverse prince* * premier
des philosophes, entre autres paroles le dit être
5 semblable ès* Silènes[1]. Silènes étaient jadis petites * aux
boîtes, telles que voyons de présent ès* boutiques * dans les
des apothicaires, peintes au-dessus de figures
joyeuses et frivoles, comme de harpies, satyres,
oisons bridés, lièvres cornus, canes bâtées, boucs
10 volants, cerfs limonniers et autres telles peintures contrefaites à plaisir pour exciter le monde
à rire (quel* fut Silène, maître du bon Bacchus); * tel
mais au dedans l'on réservait* les fines drogues, * gardait
comme baume, ambre gris, amomon*, musc, * graine de
15 civette, pierreries et autres choses précieuses. paradis
Tel disait être Socrates, parce que, le voyant au
dehors et l'estimant par l'extérieure apparence,
n'en eussiez donné un coupeau* d'ognon tant * morceau
laid il était de corps et ridicule en son maintien,
20 le nez pointu, le regard d'un taureau, le visage
d'un fol*, simple en mœurs, rustique en vête- * fou
ments, pauvre de fortune, inepte* à tous offices * inapte
de la république*, toujours riant, toujours buvant * l'État
d'autant à un chacun[2], toujours se guabelant*, * moquant
25 toujours dissimulant son divin savoir; mais,
ouvrant cette boîte, eussiez au dedans trouvé
une céleste et impréciable* drogue : entendement * inappréciable
plus que humain[3], vertu merveilleuse, courage
invincible, sobresse* non pareille, contente- * sobriété
30 ment certain, assurance parfaite, déprisement* * mépris

---

1. Cette comparaison de Socrate avec les boîtes en forme de Silènes avait été
récemment reprise par Érasme dans ses *Adages;* **2.** Buvant autant que n'importe
lequel de ses compagnons de table; **3.** Toute la fin de ce paragraphe est presque
littéralement traduite d'Érasme.

incroyable de tout ce pourquoi les humains
tant veillent, courent, travaillent, naviguent et
bataillent. (1)

35 A quel propos, en* votre avis, tend ce pré-   * à
lude et coup d'essai? Pour autant que* vous,   * parce que
les bons disciples et quelques autres fols de
séjour¹, lisant les joyeux titres d'aucuns* livres   * quelques
de notre invention, comme *Gargantua, Panta-*
*gruel, Fessepinte*² [...], *Des Pois au lard cum*
40 *commento*³, etc., jugez trop facilement n'être au-
dedans traité que moqueries, folâtreries et men-
teries joyeuses : vu que l'enseigne extérieure   * loin
(c'est le titre), sans plus avant* enquérir**, est   ** chercher
communément reçue à dérision et gaudisserie*.   * plaisanterie
45 Mais par* telle légèreté ne convient estimer les   * avec
œuvres des humains : car vous-mêmes dites que
l'habit ne fait pas le moine et tel est vêtu de
cape espagnole qui en son courage nullement
affiert à Espagne⁴. C'est pourquoi faut ouvrir
50 le livre et soigneusement peser ce qui est déduit*.   * raconté
Lors connaîtrez que la drogue dedans contenue
est bien d'autre valeur que ne promettait la
boîte. C'est-à-dire que les matières ici traitées
ne sont tant folâtres comme le titre au-dessus
55 prétendait.

Et, posé le cas qu'au sens littéral vous trouvez⁵
matières assez joyeuses et bien correspondantes
au nom, toutefois pas demeurer là ne faut,
comme au chant des sirènes, ains* à** plus   * mais ** avec

---

1. *De séjour* : qui a du loisir, oisif; 2. On ne sait si *Fessepinte* (dont le nom signifie
« qui vide rapidement les pots, grand buveur ») est un ouvrage imaginaire ou non;
3. *Cum commento* : avec un commentaire savant en latin; 4. Ne convient pas à l'Espagne, c'est-à-dire est indigne d'être Espagnol. Au moment où Rabelais écrit, les
Espagnols, au courage autrefois proverbial, commencent à être réputés surtout
pour leur hâblerie; 5. *Trouvez* sans suffixe *-i-* est une forme de subjonctif encore
usuelle chez Rabelais.

--- **QUESTIONS** ---

1. Dégagez ce qu'il y a, dans ce « prélude », de caractéristique de
Rabelais, tant dans la forme que dans les intentions. — Comment Rabelais rend-il vivant et pittoresque l'apologue emprunté à Platon? Montrez que l'art du conteur contribue aussi à instruire le lecteur, à lui expliquer des allusions qui pourraient être obscures.

60 haut sens interpréter ce que par aventure cui-
diez* dit en gaîté de cœur. (2)   * pensiez

Crochetâtes-vous onques* bouteilles? Caîgne[1]!   * jamais
Réduisez à mémoire* la contenance qu'aviez.   * rappelez-vous
Mais vîtes-vous onques* chien recontrant quelque   * jamais
65 os médullaire*? C'est comme dit Platon, *lib.* II   * à moelle
De Rep., la bête du monde plus[2] philosophe. Si vu
l'avez, vous avez pu noter de quelle dévotion il le
guette, de quel soin il le garde, de quel ferveur[3]
il le tient, de quelle prudence il l'entame, de
70 quelle affection il le brise, et de quelle diligence
il le suce. Qui le induit* à ce** faire? Quel est   * pousse ** cela
l'espoir de son étude*? Quel bien prétend-il?   * zèle
Rien plus qu'un peu de moelle. Vrai est[4] que
ce peu plus est délicieux que le beaucoup de
75 toutes autres, pour ce que la moelle est aliment
élaboré à perfection de* nature, comme dit   * par
Galien, III *Facu. natural.* et XI *De usu parti.* (3)

A l'exemple d'icelui* vous convient être sages,   * celui-ci
pour fleurer*, sentir et estimer ces beaux livres   * flairer
80 de haute graisse[5], légers[6] au pourchas* et hardis   * poursuite
à la rencontre. Puis, par curieuse leçon* et médi-   * lecture
tation fréquente, rompre l'os et sucer la sub-   attentive
stantifique moelle[7], c'est-à-dire ce que j'entends

---

1. *Caîgne :* chienne! (comme nous disons « mâtin! », ou « nom d'un chien! »);
2. Le superlatif relatif n'est pas forcément précédé de l'article au xve siècle; 3. *Ferveur* est masculin, comme le nom latin dont il vient étymologiquement; 4. *Vrai est :*
il est vrai que; la langue du xvie siècle omet encore très souvent les pronoms sujets;
5. *De haute graisse :* très gras, donc, au figuré, de grande valeur; 6. *Légers, hardis*
se rapportent à *vous*, non à *livres;* 7. L'expression est empruntée à saint Jérôme,
qui désigne ainsi la signification profonde des Écritures.

--- **QUESTIONS** ---

2. Quel est l'effet du changement de ton (ligne 34)? — Les arguments
que Rabelais avance pour démontrer la valeur de son œuvre peuvent-ils
être tous pris au sérieux? Montrez cependant l'insistance avec laquelle
l'auteur précise et multiplie son avertissement.

3. Comment les deux images (celle du flacon, celle du chien) ramènent-
elles aux thèmes essentiels du prologue? — Au livre II de *la République*,
Socrate affirme que le chien de garde est « philosophe », dans la mesure
où il discerne l'inconnu qu'il faut chasser, de l'ami de la maison qu'il
faut flatter. Quel usage Rabelais fait-il de cette référence à Platon, exacte
dans sa forme, mais détournée de son sens? — Comment Rabelais déve-
loppe-t-il cette image? Son goût de l'observation et de la notation visuelle
est-il fréquent à son époque?

par ces symboles pythagoriques[1], avec espoir
85 certain d'être faits escors* et preux** à la dite   * avisés ** sages
lecture, car en icelle* bien autre goût trouverez,   * celle-ci
et doctrine plus absconse, laquelle vous révélera
de très hauts sacrements et mystères horrifiques,
tant en ce qui concerne notre religion que aussi
90 l'état politique et vie économique. (4)

Croyez-vous en votre fois qu'oncques* Homère   * jamais
écrivant *l'Iliade* et *l'Odyssée* pensât ès* allégories * aux
lesquelles de lui ont calfretées[2] Plutarque, Héraclide Pontique, Eustatie, Phornute et ce que
95 d'iceux Politien a dérobé[3]. Si le croyez, vous
n'approchez ni des pieds ni des mains mon opinion qui décrète icelles aussi peu avoir été son-
gées d'Homère que d'Ovide en ses *Métamor-
phoses* les sacrements* de l'Évangile, lesquels   * mystères
100 un Frère Lubin[4], vrai croque-lardon[5], s'est
efforcé de démontrer, si d'aventure il rencontrait
gens aussi fols que lui, et (comme dit le proverbe) couvercle digne du chaudron. (5)

Si ne le croyez, quelle cause est pourquoi
105 autant n'en ferez[6] de ces joyeuses et nouvelles
chroniques, combien que* les dictant[7] n'y pen-   * bien que
sasse en plus que vous, qui par aventure buviez
comme moi? Car, à la composition de ce livre

---

1. Les préceptes des pythagoriciens tels que se vêtir de blanc ou ne pas manger
de viande avaient une signification symbolique; 2. *Calfreter :* calfater. « Calfreter
une allégorie peut signifier *la travailler de façon à la rendre présentable,* comme le
calfat rend le navire capable de naviguer » (Dict. de E. Huguet); 3. Un traité *Sur les
allégories chez Homère* était attribué à tort à *Héraclide du Pont* (1er s. av. J.-C.);
Eustathe, archevêque de Salonique au XIIe siècle, avait commenté Homère; *Cornutus*
(appelé ici *Phornute*), philosophe stoïcien de la Rome impériale, maître des poètes
Lucain et Perse, avait cherché à interpréter les mythes homériques dans son *De natura
deorum;* l'humaniste italien Angelo Ambrogini, surnommé Poliziano (1454-1594),
s'était inspiré de ces travaux dans les gloses de sa traduction latine d'Homère; 4. *Frère
Lubin :* surnom générique couramment employé pour désigner un moine stupide.
Le terme vise ici le dominicain anglais Thomas Walleys (mort en 1340), qui professa
à Oxford, puis à Paris; 5. *Croque-lardon :* pique-assiette; 6. Pourquoi n'en feriez-
vous pas autant; 7. En les dictant.

━━━ QUESTIONS ━━━

4. Que faudrait-il conclure de ce Prologue s'il s'arrêtait là? Et pourquoi
Rabelais ne s'arrête-t-il pas là?

5. De quoi Rabelais se moque-t-il ici? Rappelez le point de vue des
humanistes sur l'interprétation des textes.

seigneurial, je ne perdis ni employai onques*   * jamais
110 plus ni autre temps que celui qui était établi à
prendre ma réfection corporelle[1], savoir est
buvant et mangeant. Aussi est-ce la juste heure
d'écrire ces hautes matières et sciences profondes,
comme bien faire savait Homère, parangon* de   * modèle
115 tous les philologues[2], et Ennie[3], père des poètes
latins, ainsi que témoigne Horace[4], quoique un
malôtru* ait dit que ses carmes** sentaient plus   * misérable
le vin que l'huile[5]. (6)   ** poésies

Autant en dit un tirelupin* de mes livres;   * gueux
120 mais bren* pour lui! L'odeur[6] du vin, ô combien   * merde
plus est friant, riant, priant[7], plus céleste et
délicieux que d'huile. Et prendrai autant à
gloire qu'on dise de moi que plus en vin ai
dépendu* qu'en huile, que fit Démosthène, quand   * dépensé
125 de lui on disait que plus en huile que en vin
dépendait*. A moi n'est que honneur et gloire   * dépensait
d'être dit et réputé bon gautier* et bon compa-   * compagnon
gnon et en ce nom suis bien venu en toutes
bonnes compagnies de Pantagruélistes[8]. A
130 Démosthène fut reproché par un chagrin que
ses *Oraisons** sentaient comme la serpillière   * *Discours*
d'un ord* et sale huilier. (7)   * crasseux

Pourtant interprétez tous mes faits et dits
en la perfectissime partie[9]; ayez en révérence le
135 cerveau caséiforme[10] qui vous plaît de ces

---

1. *Réfection corporelle* : repas; 2. *Philologues* : amis des lettres; 3. *Ennius* (240-169 av. J.-C.), le plus vanté des poètes de la République romaine; son œuvre est perdue; 4. Horace, *Epîtres*, I, XIX, 6-8; 5. Il s'agit de l'huile qui brûle dans la lampe, symbole de veille et de travail; 6. *Odeur* est masculin (étymologie latine); 7. *Priant*, placé ici pour les raisons d'assonance, n'a à proprement pas de sens dans ce contexte; 8. *Pantagruéliste* : sujet au « pantagruel », mal de gorge que donne la soif ou l'abus du vin, grand buveur; 9. En appréciant la plus parfaite de ses qualités; 10. *Caséiforme* : à apparence de fromage, notation de médecin féru de dissection.

─────── **QUESTIONS** ───────

6. Quelle nouvelle conclusion devrait-on tirer ici? Cette pirouette a-t-elle été capable de détruire entièrement les affirmations de la première partie du Prologue ou a-t-elle seulement créé un doute? — Peut-on prendre au sérieux l'affirmation de Rabelais selon laquelle il aurait composé en état d'ébriété et sans penser à ce qu'il écrivait?

7. Recherchez dans le Prologue tout ce qui a trait au thème du vin. Quelle est l'importance et la signification de ce thème rabelaisien?

billevesées et, à votre pouvoir, tenez-moi toujours joyeux[1]. [...] **(8)**

CHAPITRES I-V

[Rabelais présente d'abord la généalogie de Gargantua, qui, par don des cieux, a été conservée « *plus entière que nulle autre, exceptée celle du Messie, dont je ne parle, car il ne m'appartient, aussi les diables (ce sont des calomniateurs et cafards) s'y opposent* ». (Les diables et les calomniateurs sont, bien sûr, les théologiens de la Sorbonne, les défenseurs de la pureté du dogme; l'ouvrage s'ouvre par des attaques polémiques.)

Les parents de Gargantua, Grandgousier et Gargamelle, la fille du roi des Papillons, sont d'extraordinaires mangeurs, comme leur nom l'indique. Ils ont, alors que Gargamelle attend un enfant depuis onze mois, convié tout le voisinage à s'empiffrer de tripes (chap. III et IV). La bombance se poursuit à la Saulsaie, un pré dépendant de la Devinière; les propos de l'assistance ivre occupent tout le chapitre v.]

CHAPITRE VI

COMMENT GARGANTUA NAQUIT EN FAÇON BIEN ÉTRANGE

[La naissance se produit au milieu de la fête : Gargantua sort par l'oreille gauche de sa mère.]

Soudain* qu'il fut né, ne cria comme les   * aussitôt autres enfants : « Mies! mies! », mais à haute voix s'écriait : « A boire! à boire! à boire! »,

---

1. Maintenez-moi en joie.

——— **QUESTIONS** ———

8. SUR L'ENSEMBLE DU PROLOGUE. — Quelle est l'intention de Rabelais dans ce Prologue? Affirmer le caractère sérieux de son œuvre ou le nier? Fournir un échantillon savoureux de sa verve et de son comique? Se moquer du Moyen Age? de l'Église? des lecteurs? Se protéger contre d'éventuelles poursuites? Ou encore tout cela à la fois? — Comparez ce Prologue à celui de *Pantagruel*. Quels thèmes amorcés dans le Prologue de *Pantagruel* se précisent ici?

comme invitant tout le monde à boire, si bien
5 qu'il fut ouï de tout le pays de Beusse et de
Bibarois[1].

Je me doute que ne croyez assurément cette
étrange nativité. Si ne le croyez, je ne m'en
soucie, mais un homme de bien, un homme de
10 bon sens croit toujours ce qu'on lui dit et qu'il
trouve par écrit[2]. Est-ce contre notre loi, notre
foi, contre raison, contre la Sainte Écriture?
De ma part, je ne trouve rien écrit ès* Bibles   * dans les
saintes qui soit contre cela. Mais, si le vouloir
15 de Dieu tel eût été, diriez-vous qu'il ne l'eût   * troublez
pu faire? Ha, pour grâce n'emburelucoquez*
jamais votre esprit de ces vaines pensées, car
je vous dis qu'à Dieu rien n'est impossible, et,
s'il le voulait, les femmes auraient dorénavant
20 ainsi leurs enfants par l'oreille. **(1)**

Bacchus ne fut-il engendré par la cuisse de
Jupiter?

Rocquetaillade[3] naquit-il pas du talon de
sa mère?

25 Croquemouche[4] de la pantoufle de sa nourrice?

Minerve naquit-elle pas du cerveau par l'oreille
de Jupiter?

Adonis par l'écorce d'un arbre de myrrhe?

---

1. *Beusse* ou *Beuxes*, localité proche de Loudun, dans la région natale de Rabelais, et *Bibarois* (Vivarais) ne sont ici évoqués que parce que leur nom rappelle la
boisson; 2. La première édition développait bien plus ce point et s'appuyait, entre
autres, sur une citation de saint Paul qui définissait la foi; voici le texte de la
première édition : *Ne dit pas Salomon* (Proverbiorum, 14) : « Innocens credit omni
verbo [l'innocent croit toute parole], etc. » *et saint Paul* (Prima Corinthiorum, 13) :
« Charitas omnia credit [la charité croit tout] »? *Pourquoi ne le croiriez-vous? Pour
ce, dites-vous qu'il n'y a nulle apparence. Je dis que pour cette seule cause vous le devez
croire en foi parfaite. Car les sorbonistes disent que foi est argument des choses de
nulle apparence;* 3. *Jean de Rocquetaillade* : franciscain du XIVe siècle, célèbre par
ses prédications contre le luxe de la cour pontificale d'Avignon et par ses prophéties;
4. *Croquemouche* : personnage dont on ne sait s'il appartient à une légende populaire
alors connue ou s'il est une invention de Rabelais, qui mêle ici, comme il le fait
souvent, un personnage imaginaire à des personnages de la légende et de l'histoire.

QUESTIONS

1. Pourquoi Rabelais emploie-t-il le mot *nativité* (ligne 8) et non
« naissance »? — Dans quelle mesure Rabelais défend-il la véracité de
cette naissance merveilleuse? Le ton et le style de cette défense.

Castor et Pollux de la coque d'un œuf pondu
30 et éclos par Léda[1]? (2)

Mais vous seriez davantage ébahis et étonnés,
si je vous exposais présentement tout le chapitre
de Pline[2] auquel parle des enfantements étranges
et contre nature; et toutefois je ne suis point
35 menteur tant assuré* comme il a été. Lisez le   * prouvé
septième de sa *Naturelle Histoire, capi.* III, et
ne m'en tabustez* plus l'entendement. (3) (4)   * tarabustez

CHAPITRE VII

COMMENT LE NOM FUT IMPOSÉ À GARGANTUA, ET COMMENT IL HUMAIT LE PIOT*   * vin

Le bonhomme Grandgousier, buvant et se
rigolant avec les autres, entendit le cri horrible
que son fils avait fait entrant en lumière de ce
monde, quand il bramait demandant : « A
5 boire, à boire, à boire! », dont il dit : « QUE

---

1. Toutes ces naissances extraordinaires (Bacchus, Minerve, Adonis, Castor et Pollux) comptent parmi les mythes les plus connus de la religion grecque; 2. *Pline l'Ancien* : savant latin du 1ᵉʳ siècle apr. J.-C. Son *Histoire naturelle* en 37 livres est un précieux document, qui permet de savoir l'état des connaissances scientifiques de l'Antiquité en de nombreux domaines.

--------- QUESTIONS ---------

2. Pourquoi Rabelais, après son appel à la foi, choisit-il des exemples tirés de la mythologie antique? Quel est celui de ces exemples qui donne la clé de tout ce chapitre?

3. Le témoignage de Pline vient confirmer ce qu'avait déjà dit Rabelais des Saintes Écritures (ligne 11) : à quelle conclusion Rabelais veut-il amener le lecteur par ce rapprochement?

4. SUR L'ENSEMBLE DU CHAPITRE VI. — La parodie : comment Rabelais donne-t-il à son héros une grandeur mythique, dont il souligne en même temps l'aspect caricatural?

— La « substantifique » moelle de ce chapitre : comment Rabelais suggère-t-il une critique des légendes et des mythes où intervient le merveilleux?

— Comparez ce chapitre au chapitre II de *Pantagruel*. La part du surnaturel dans la « nativité » des deux héros. L'attitude de l'auteur est-elle la même dans *Gargantua* que dans *Pantagruel*?

GRAND TU AS! » (*supple*[1] le gosier). Ce que oyants*, les assistants dirent que vraiment il devait avoir par ce le nom GARGANTUA[2], puisque
10 telle avait été la première parole de son père à sa naissance, à l'imitation et exemple des anciens Hébreux[3]. A quoi fut condescendu par icelui* et plut très bien à sa mère. Et pour l'apaiser, lui donnèrent à boire à tire larigot, et fut porté sur les fonts, et là baptisé, comme est la cou-
15 tume des bons chrétiens. **(1)**

    * entendant
    * celui-ci

Et lui furent ordonnées dix et sept mille neuf cents treize vaches de Pautille et de Bréhémont[4], pour l'allaiter ordinairement. Car de trouver nourrice suffisante n'était possible en tout le
20 pays, considéré la grande quantité de lait requis pour icelui alimenter, combien qu'*aucuns** docteurs scotistes[5] aient affirmé que sa mère l'allaita, et qu'elle pouvait traire de ses mamelles quatorze cents deux pipes[6] neuf potées de lait
25 pour chacune fois, ce que* n'est vraisemblable, et a été la proposition déclarée mammallement[7] scandaleuse, des pitoyables[8] oreilles offensive, et sentant de loin hérésie. **(2)**

    * bien que
    ** quelques
    * qui

En cet état passa jusques à un an et dix mois,
30 onquel* temps, par le conseil des médecins, on

    * auquel

1. *Supple* : sous-entends (mot latin); 2. *Gargantua*, géant des traditions populaires, dont Rabelais a repris le nom afin de vendre son livre. Le nom lui-même, d'origine limousine, signifie « grande gorge », c'est-à-dire « goinfre », et correspond à Grandgousier; 3. Ils choisissaient le nom de l'enfant d'après une des circonstances qui avaient marqué sa naissance; 4. *Pautille, Bréhémont* : hameaux non loin de Chinon; 5. *Scotiste* ; disciple de Duns Scot, philosophe scolastique du XIIIᵉ siècle; 6. Une *pipe* : un muid et demi. Pour la valeur exacte du muid, voir page 27, note 3; 7. *Mammallement* est un adverbe de fantaisie, forgé sur « mamelle », et dont la formation évoque « théologalement », qu'on attendrait ici; la première édition portait *par Sorbonne* ; 8. *Pitoyables* remplace « pieuses », terme traditionnel de la formule de condamnation qui motivait la censure de certains ouvrages par la Sorbonne : *Sententiam piarum aurium offensivam et haeresim sapientem* (Une opinion qui offense les oreilles pieuses et qui sent l'hérésie).

—— **QUESTIONS** ——

1. Étudiez comment le gigantesque et le surnaturel se marient au familier.

2. De quoi et de qui se moque-t-on ici? A quelle condamnation précise Rabelais peut-il penser? — De quel genre est l'effet comique provoqué ici?

commença le porter, et fut faite une belle charrette à bœufs par l'invention de Jean Deniau[1].
Dedans icelle on le promenait par ci par là,
joyeusement, et le faisait bon voir, car il portait
35 bonne trogne et avait presque dix et huit men-
tons, et ne criait que bien peu ; mais il se conchiait
à toutes heures, car il était merveilleusement
flegmatique des fesses, tant de sa complexion
naturelle[2] que de la disposition accidentelle qui
40 lui était advenue par trop humer de purée sep-
tembrale*. Et n'en humait goutte sans cause car   * vin
s'il advenait qu'il fût dépit*, courroucé, fâché   * dépité
ou marri, s'il trépignait, s'il pleurait, s'il criait,
lui apportant à boire l'on le remettait en nature,
45 et soudain demeurait coi* et joyeux.   * tranquille

Une de ses gouvernantes m'a dit, jurant sa fi*   * foi
que de ce faire il était tant coutumier, qu'au
seul son des pintes et flacons, il entrait en extase,
comme s'il goûtait les joies de paradis. En sorte
50 qu'elles, considérants cette complexion divine,
pour le réjouir au matin, faisaient devant lui
sonner des verres avec un couteau, ou des flacons avec leur toupon*, ou des pintes avec   * bouchon
leur couvercle, auquel son il s'égayait, il tressail-
55 lait, et lui même se bressait* en dodelinant de la   * berçait
tête, monocordisant* des doigts et barytonnant   * pianotant
du cul. (3) (4)

---

1. Nom de famille encore répandu dans le Chinonais, mais l'allusion reste obscure :
il est impossible de dire s'il s'agit d'un personnage réel ou inventé ; 2. Le tempérament
flegmatique était, dans la médecine traditionnelle, une des complexions déterminées
par les humeurs : le flegmatique se conduit d'une manière calme et posée, sans se
faire de souci.

──────── QUESTIONS ────────────

3. Quelle est l'attitude de Rabelais à l'égard de la petite enfance ?
A la manière dont sont contées les réactions de Gargantua, voit-on
comment Rabelais juge la nature humaine quand elle apparaît encore
dans ses manifestations toutes spontanées ? — Le thème bachique :
quel effet comique en résulte ? Les particularités que donne à Gargantua
son caractère surnaturel font-elles de lui un enfant différent des autres ?

4. SUR L'ENSEMBLE DU CHAPITRE VII. — « L'enfance Gargantua » :
par comparaison avec les premiers chapitres de *Pantagruel*, relevez les
thèmes et les épisodes qui constituent les étapes traditionnelles de la
chronique consacrée au héros dans sa petite enfance. Quelles variations
Rabelais introduit-il sur ces thèmes d'un livre à l'autre ?

Le jeune Gargantua en ses habits du dimanche.
Illustration de Gustave Doré. Édition de 1854. — B. N. Imprimés.

CHAPITRES VIII-X

[Où il est dit longuement quels vêtements on donna à Gargantua, la couleur de ceux-ci et le symbolisme de ces couleurs.]

CHAPITRE XI

DE L'ADOLESCENCE* DE GARGANTUA

* enfance

Gargantua, depuis les trois jusques à cinq ans, fut nourri et institué* en toute discipline convenante, par le commandement de son père, et celui temps passa comme les petits enfants
5 du pays : c'est à savoir à boire, manger et dormir; à manger, dormir et boire; à dormir, boire et manger.

* instruit

Toujours se vautrait par les fanges, se mascarait* le nez, se chaffourait** le visage,
10 aculait* ses souliers, bâillait souvent aux mouches et courait volontiers après les parpaillons*, desquels son père tenait l'empire[1]. Il pissait sur ses souliers, il chiait en sa chemise, il se mouchait à ses manches, il morvait dedans
15 sa soupe, et patrouillait par tous lieux, et buvait en sa pantoufle et se frottait ordinairement le ventre d'un panier. Ses dents aiguisait d'un sabot, ses mains lavait de potage, se peignait d'un gobelet, s'asséait entre deux selles* le cul
20 à terre, se couvrait d'un sac mouillé, buvait en mangeant sa soupe, mangeait sa fouace[2] sans pain, mordait en riant, riait en mordant, souvent crachait on* bassin[3], pétait de graisse, pissait contre le soleil, se cachait en l'eau pour
25 la pluie, battait à froid[4], songeait creux, faisait

* noircissait
** barbouillait
* éculait

* papillons

* chaises

* dans le

---

1. Il est dit au chapitre III que Gargamelle, mère de Gargantua, était *fille du roi des Parpaillos*. Ce mot ne saurait, à l'époque, contenir une allusion satirique aux protestants : c'est bien plus tard que, pour des raisons assez obscures, ce terme fut appliqué aux huguenots. Ici, il semble n'avoir qu'une valeur burlesque; 2. *Fouace*, sorte de pain au beurre et aux œufs; 3. *Cracher au bassin :* donner de l'argent comme à la quête, c'est-à-dire contre son gré; 4. *Battre à froid :* battre le fer sans le chauffer.

le sucré, écorchait le renard[1], disait la patenôtre
du singe[2], retournait à ses moutons, tournait*   * menait
les truies au foin[3], battait le chien devant le lion[4],
mettait la charrette devant les bœufs, se grattait
30 où ne lui démangeait point, tirait les vers du
nez, trop embrassait et peu étreignait, mangeait
son pain blanc le premier, ferrait les cigales,
se chatouillait pour se faire rire, ruait très bien
en cuisine[5], faisait gerbe de feurre* aux dieux[6],   * paille
35 faisait chanter *Magnificat* à matines[7] et le trouvait bien à propos, mangeait choux et chiait
pourrée*, connaissait mouches en lait[8], faisait   * poireau
perdre les pieds aux mouches, ratissait le papier,
chaffourait* le parchemin, gagnait au pied[9],   * barbouillait
40 tirait au chevrotin[10], comptait sans son hôte,
battait les buissons sans prendre les oisillons,
croyait que nues fussent pailles* d'airain et que   * dais (poêle)
vessies fussent lanternes, tirait d'un sac deux
moutures, faisait de l'âne pour avoir du bren*,   * son
45 de son poing faisait un maillet, prenait les grues
du premier saut, ne voulait que maille à maille
on fît les haubergeons*, de cheval donné toujours   * cottes de
                                                       mailles
regardait en la gueule, sautait du coq à l'âne,
mettait entre deux vertes une mûre[11], faisait de
50 la terre le fossé, gardait la lune des loups[12], si
les nues tombaient espérait prendre les alouettes,
faisait de nécessité vertu, faisait de tel pain
soupe[13], se souciait aussi peu des rais* comme   * ras
des tondus, tous les matins écorchait le renard.
55 Les petits chiens de son père mangeaient en
son écuelle; lui de même mangeait avec eux.
Il leur mordait les oreilles, ils lui graphinaient*   * griffaient

---

1. *Écorcher le renard* : vomir, en parlant d'un ivrogne; 2. *Dire la patenôtre du singe* : claquer des dents; 3. Les truies n'ayant que faire de foin, l'expression désigne donc encore une action absurde; 4. *Battre le chien devant le lion*, c'est réprimander un inférieur devant un supérieur, pour que ce dernier s'applique la leçon; 5. Se précipitait dans la cuisine pour y dévorer; 6. Trompait les dieux en leur offrant de la paille en place de blé; 7. L'hymne du *Magnificat* se chantait toujours aux vêpres, office du soir; là encore, Gargantua agissait à rebours; 8. Distinguait le noir du blanc; 9. *Gagner au pied* : s'enfuir; 10. Buvait à l'outre en peau de chèvre, c'est-à-dire copieusement; 11. Mêlait un peu de douceur à beaucoup d'amertume; 12. Protégeant la lune contre les loups; 13. *Soupe* : tranche de pain sur laquelle on verse le bouillon.

le nez; il leur soufflait au cul, ils lui léchaient les badigoinces. [...] **(1)**

CHAPITRE XII

DES CHEVAUX FACTICES DE GARGANTUA

Puis, afin que toute sa vie fût bon chevaucheur, l'on lui fît un beau grand cheval de bois, lequel il faisait penader[1], sauter, voltiger, ruer et danser tout ensemble, aller le pas, le trot,
5 l'entrepas[2], le galop, les ambles, le hobin[3], le traquenard[4], le camelin[5] et l'onagrier[6]; et lui faisait changer de poil (comme font les moines de courtibaux* selon les fêtes) de baibrun, d'alezan, de gris pommelé, de poil de rat, de
10 cerf, de rouen, de vache, de zencle[7], de pécile*, de pie, de leuce*.

* dalmatiques (vêtements liturgiques)
* bigarré
* blanc

Lui-même d'une grosse traîne[8] fit un cheval pour la chasse, un autre d'un fût de pressoir à tous les jours, et d'un grand chêne une mule
15 avec la housse pour la chambre. Encore en eut-il dix à douze à relais et sept pour la poste. Et tous mettait coucher auprès de soi. **(1)**

Un jour le seigneur de Painensac[9] visita son

---

1. *Penader*, faire des sauts de mouton; 2. *Entrepas :* pas relevé; 3. *Hobin* (ou *aubin*) : sorte de trot désuni; 4. *Traquenard :* autre sorte de trot désuni; 5. *Camelin :* pas du chameau; 6. *Onagrier :* pas de l'onagre, sorte d'âne sauvage; 7. *Zencle :* parsemé de taches en forme de faucille; 8. *Traîne :* grosse poutre munie de deux roues et qui sert à transporter les troncs d'arbre; 9. *Manger son pain en sac* signifiait « être avare »; c'est un nom tiré des *Franches repues* de Villon.

QUESTIONS

1. Sur l'extrait du chapitre xi. — Analysez le procédé de composition de ce développement : comment s'enchaîne la suite des images et des proverbes? Le mécanisme verbal détruit-il la réalité savoureuse de certains traits pris sur le vif? Quelle impression d'ensemble en résulte?
— Comment la forme choisie ici permet-elle à l'auteur d'exprimer certains traits caractéristiques de la petite enfance? Qu'est-ce que Rabelais aime dans l'enfance? Commentez les lignes 1-7 : quelles idées, déjà amorcées au chapitre vii, se trouvent confirmées ici?

1. Rabelais a-t-il bien observé l'imagination des enfants et leurs jeux? Comment se traduisent sa compréhension et sa sympathie?

père en gros train et apparat, auquel jour l'étaient
20 semblablement venus voir le duc de Franc repas
et le comte de Mouillevent. Par ma foi, le logis
fut un peu étroit pour tant de gens, et singulièrement les étables*; donc le maître d'hôtel et   * écuries
fourrier dudit seigneur de Painensac, pour savoir
25 si ailleurs en la maison étaient étables vaques*,   * vides
s'adressèrent à Gargantua, jeune garçonnet, lui
demandant secrètement où étaient les étables des
grands chevaux[1], pensant que volontiers les   * révèlent
enfants décèlent* tout.

30   Lors il les mena par les grands degrés du château, passant par la seconde salle, en une grande
galerie par laquelle entrèrent en une grosse tour,
et eux montant par d'autres degrés, dit le fourrier au maître d'hôtel :

35   « Cet enfant nous abuse, car les étables ne
sont jamais au haut de la maison.

       — C'est, dit le maître d'hôtel, mal entendu à
vous, car je sais des lieux, à Lyon, à la Baumette,
à Chinon[2] et ailleurs, où les étables sont au plus
40 haut du logis; ainsi, peut-être que derrière y a
issue au montoir[3]. Mais je le demanderai plus
assurément. »

       Lors demanda à Gargantua :

       « Mon petit mignon, où nous menez-vous?

45   — A l'étable, dit-il, de mes grands chevaux.
Nous y sommes tantôt, montons seulement ces
échelons. »

       Puis les passant par une autre grande salle,
les mena en sa chambre, et, retirant* la porte :   * ouvrant

50   « Voici, dit-il, les étables que demandez;
voilà mon genet[4], voilà mon guildin[5], mon lavedan[6], mon traquenard[7]. »

---

1. On appelait ainsi les chevaux de bataille; 2. Lorsque les bâtiments sont à flanc
de coteau, comme c'est le cas à Chinon ou dans la partie de Lyon adossée à la colline de Fourvière, ou encore au couvent de la Baumette, situé au sud d'Angers et
où Rabelais aurait commencé ses études, les étages peuvent se trouver de plain-
pied avec le chemin montant et donc contenir l'écurie; 3. Le *montoir* est le chemin
montant ou un plan incliné; 4. *Genet* : petit cheval de race espagnole; 5. *Guildin* :
cheval de femme ou de promenade; 6. *Lavedan* : cheval de Gascogne, très rapide;
7. *Traquenard* : cheval marchant à l'allure du traquenard (voir page 24, note 4).

Et, les chargeant d'un gros levier* :   * bâton

« Je vous donne, dit-il, ce frison[1]; je l'ai eu
55 de Francfort, mais il sera vôtre; il est bon petit
chevalet et de grand peine. Avec un tiercelet
d'autour[2], demi-douzaine d'épagneuls et deux
lévriers, vous voilà roi des perdrix et lièvres
pour tout cet hiver.

60   — Par saint Jean !, dirent-ils, nous en sommes
bien ! A cette heure avons-nous le moine[3].

— Je vous le nie, dit-il. Il ne fut, trois jours
a[4], céans. »

Devinez ici duquel des deux ils avaient plus
65 matière, ou de soi cacher pour leur honte, ou de
rire pour le passetemps. (2)

Eux en ce pas descendants tout confus, il
demanda :

« Voulez-vous une aubelière[5]?

70   — Qu'est-ce? disent-ils.

— Ce sont, répondit-il, cinq étrons pour vous
faire une muselière.

— Pour ce jour d'hui, dit le maître d'hôtel,
si nous sommes rôtis, jà* au feu ne brûlerons,   * jamais
75 car nous sommes lardés à point, en mon avis.
O petit mignon, tu nous as baillé foin en corne[6];
je te verrai quelque jour pape.

— Je l'entends, dit-il, ainsi; mais pour lors
vous serez papillon, et ce gentil papegai* sera   * perroquet
80 un papelard[7] tout fait.

---

1. Les gros chevaux de Frise se trouvaient en particulier à la foire de Francfort;
2. Le *tiercelet* est le mâle des oiseaux de chasse; **3.** *Avoir le moine* signifie « être berné »,
mais Gargantua prend l'expression au sens propre; **4.** Il y a trois jours; **5.** Mot
vraisemblablement forgé par Rabelais et dépourvu de sens; **6.** On garnit de foin
les cornes des bestiaux à vendre; l'expression signifie « tromper »; **7.** *Papelard* :
dévot hypocrite.

——— QUESTIONS ———

2. L'art du conteur : relevez tous les détails qui donnent à l'anecdote
son apparence de vérité. — L'univers des grandes personnes et celui
des enfants : à quel moment la logique de l'enfant met-elle en défaut
la logique des adultes? — La morale de l'histoire : s'attendait-on à voir
Gargantua duper ses visiteurs? Quelle figure les domestiques font-ils
à la fin de l'épisode? Comment échappent-ils au ridicule?

— Voire*, voire, dit le fourrier.   * Sans doute

— Mais, dit Gargantua, devinez combien y
a de points d'aiguille en la chemise de ma mère.

— Seize, dit le fourrier.

85   — Vous, dit Gargantua, ne dites l'Évangile[1] :
car y en a sens devant et sens derrière, et les
comptâtes trop mal.

— Quand? dit le fourrier.

— Alors, dit Gargantua, qu'on fit de votre
90 nez une dille[2] pour tirer un muid[3] de merde,
et de votre gorge un entonnoir pour la mettre
en un autre vaisseau, car les fonds étaient
éventés.

— Cordieu! dit le maître d'hôtel, nous avons
95 trouvé un causeur. Monsieur le jaseur, Dieu
vous garde de mal, tant vous avez la bouche
fraîche[4]! » (3)

Ainsi descendant à grande hâte, sous l'arceau
des degrés laissèrent tomber le gros levier qu'il
100 leur avait chargé; dont dit Gargantua :

« Que diantre vous êtes mauvais chevaucheurs!
Votre courtaud[5] vous faut* au besoin. S'il vous   * fait défaut
fallait aller d'ici à Cahusac[6], qu'aimeriez vous
mieux, ou chevaucher un oison, ou mener une
105 truie en laisse?

— J'aimerais mieux boire », dit le fourrier.

Et, ce disant entrèrent en la salle basse où
était toute la brigade*, et, racontant cette   * troupe

---

1. *L'Évangile*, c'est-à-dire la vérité; 2. *Dille* : petit morceau de bois qui sert à obtu-
rer plus ou moins le trou d'un tonneau; 3. Un *muid* représente, suivant les provinces,
entre 270 et 788 litres; 4. La *bouche fraîche*, c'est-à-dire la langue bien pendue;
5. *Courtaud* : cheval commun auquel on coupait la queue et les oreilles; 6. *Cahusac*
(ou *Cahuzac*) : localité située près de Villeneuve-sur-Lot. La seigneurie de Cahusac
appartenait à Louis d'Estissac, neveu de Geoffroy d'Estissac, abbé et évêque de
Maillezais, dont Rabelais avait été le secrétaire.

──────── **QUESTIONS** ────────

3. Quels autres aspects de l'esprit de Gargantua se révèlent dans ses
questions et ses répliques (lignes 85-93)? Cet esprit est-il aussi « enfan-
tin » que dans l'épisode des chevaux factices? Expliquez pourquoi cependant il ne sonne pas faux.

nouvelle histoire les firent rire comme un tas
110 de mouches. **(4) (5)**

CHAPITRE XIII

[Le récit que Gargantua fait à Grandgousier de sa dernière invention émerveille celui-ci.]

CHAPITRE XIV

COMMENT GARGANTUA FUT INSTITUÉ PAR UN THÉOLOGIEN[1] EN LETTRES LATINES

Ces propos entendus, le bonhomme Grandgousier fut ravi en admiration, considérant le
haut sens et merveilleux entendement de son
fils Gargantua, et dit à ses gouvernantes :
5 « Philippe, roi de Macédoine, connut le bon
sens de son fils Alexandre à manier dextrement*   * adroitement
un cheval, car ledit cheval était si terrible et
effréné que nul n'osait monter dessus parce qu'à
tous ses chevaucheurs il baillait la saccade*, à   * donnait un
10 l'un rompant le cou, à l'autre les jambes, à   coup violent
l'autre la cervelle, à l'autre les mandibules. Ce
que considérant Alexandre en l'hippodrome
(qui était le lieu où l'on promenait et voltigeait[2]

---

1. Dans l'édition de 1542, ce mot est remplacé par *sophiste ;* mais cette substi-
tution prudente contenait cependant une allusion assez claire, puisque les humanistes reprochaient à la scolastique d'être aussi loin de la vérité que l'art des sophistes
l'était, dans l'Antiquité, de la philosophie ; 2. Faisait voltiger.

——— QUESTIONS ———

4. Le mot de la fin : à quel thème fondamental fait-on retour ? Comment
cette conclusion du chapitre s'accorde-t-elle d'une manière très naturelle
avec tout ce qui précède ?

5. Sur l'ensemble du chapitre XII. — Comment ce chapitre, par sa
composition et son style, introduit-il un élément de variété par rapport
aux chapitres précédents ?

— Quelles sont les qualités d'esprit du jeune Gargantua avant qu'on
se soit mêlé de son instruction ? Comment se manifeste chez lui la spon-
tanéité de la nature ?

— L'importance de ce chapitre par rapport au reste du roman : peut-on
y deviner déjà un certain nombre de griefs de Rabelais contre l'éducation scolastique du Moyen Age ?

les chevaux), avisa que la fureur du cheval ne
15 venait que de frayeur qu'il prenait à son ombre.
Dont*, montant dessus, le fit courir encontre   * en conséquence
le soleil, si que* l'ombre tombait par derrière,   * si bien que
et, par ce moyen, rendit le cheval doux à son
vouloir[1]. A quoi connut son père le divin enten-
20 dement qui en lui était, et le fit très bien endoc-   * instruire
triner* par Aristotèles**, qui pour lors était   ** Aristote
estimé sur* tous philosophes de Grèce.   * par-dessus

« Mais je vous dis qu'en ce seul propos, que
j'ai présentement devant vous tenu à mon fils
25 Gargantua, je connais que son entendement   * tire son origine
principe* de quelque divinité, tant je le vois
aigu, subtil, profond et serein, et parviendra à
degré souverain de sapience*, s'il est bien ins-   * sagesse
titué. Pour tant*, je veux le bailler** à quelque   * aussi
30 homme savant pour l'endoctriner selon sa capa-   ** confier
cité, et n'y veux rien épargner. » (1)

De fait, l'on lui enseigna* un grand docteur   * indiqua
en théologie[2], nommé maître Thubal Holo-
pherne[3], qui lui apprit sa charte*, si bien qu'il   * alphabet
35 la disait par cœur au rebours, et y fut cinq ans
et trois mois. Puis lui lut le *Donat*, le *Facet*,
Theodolet et *Alanus in Parabolis*[4], et y fut treize
ans, six mois et deux semaines. (2)

---

1. Ce dressage du fameux cheval Bucéphale par Alexandre est raconté par Plutarque *(Vie d'Alexandre)* ; 2. Comme dans le titre, Rabelais a remplacé cette expression en 1542 par *docteur sophiste* ; 3. Le nom du précepteur est formé de celui de
deux personnages bibliques : Thubal, descendant de Caïn, découvrit l'art de travailler
les métaux ; Holopherne, général de Nabuchodonosor, fut tué par Judith ; 4. Le
Donat était une grammaire latine composée par Donatus au ive siècle apr. J.-C. ;
le *Facet*, un traité de civilité puérile et honnête ; le *Theodolet*, ouvrage de l'évêque
Theodolus (xe s.), expliquait la fausseté de la mythologie antique ; le *Liber para-
bolarum*, d'Alain de Lille (xiiie s.), était une morale en quatrains. Tous ces livres
servaient dans les écoles médiévales aux enfants débutants.

——— QUESTIONS ———

1. Qu'y a-t-il d'amusant et de touchant à la fois dans le contraste
entre le ton de Grandgousier, d'une part, et, d'autre part, le contenu
de son discours et la qualité de ses interlocutrices ? — Dans quelle mesure
l'opinion de Grandgousier sur son fils est-elle justifiée ? N'est-il pas aussi
victime des illusions que les pères se font souvent au sujet de leurs enfants ?

2. Le choix de Thubal Holopherne est-il conforme aux prétentions
qu'avait exprimées si solennellement Grandgousier ? Quelle erreur pourrait-on reprocher à celui-ci ? — L'effet comique produit par les préci-
sions numériques des lignes 35 et 37 : quelle critique s'y trouve impli-
citement contenue ?

Mais notez que, cependant, il lui apprenait
40 à écrire gothiquement, et écrivait tous ses livres,
car l'art d'impression* n'était encore en usage.   * imprimerie

Et portait ordinairement un gros écritoire,
pesant plus de sept mille quintaux, duquel le
galimart* était aussi gros et grand que les gros   * plumier
45 piliers d'Enay¹, et le cornet* y pendait à grosses   * encrier
chaînes de fer, à la capacité d'un tonneau de
marchandise. (3)

Puis lui lut *de Modis significandi*², avec les
comments* de Hurtebise, de Fasquin, de Trop-   * commentaires
50 diteux, de Gualehaul, de Jean le Veau, de Billo-
nio, Brelinguandus³, et un tas d'autres et y fut
plus de dix-huit ans et onze mois. Et le sut si
bien qu'au coupelaud* il le rendait par cœur   * à l'épreuve
à revers, et prouvait sur ses doigts, à sa mère,
55 que *de modis significandi non erat scientia*⁴.

Puis lui lut le *Compost*⁵, où il fut bien seize
ans et deux mois, lorsque son dit précepteur
mourut. [...]

Après en eut un autre vieux tousseux, nommé
60 maître Jobelin Bridé⁶, qui lui lut Hugutio,
Hébrard *Grecisme*, le *Doctrinal*, les *Pars*, le
Quid est, le *Supplementum*, Marmotret, *de Moribus in mensa servandis*, Seneca *de Quatuor vir-
tutibus cardinalibus*, Passavantus *cum commento*
65 et *Dormi secure*⁷ pour les fêtes, et quelques

---

1. Saint-Martin d'Ainay, la plus ancienne église de Lyon ; sa coupole est soutenue par des piliers de provenance antique ; 2. *De modis significandi (Des modes du raison-nement)* : traité de logique formelle. Les modes sont les diverses sortes de raisonne-ment par syllogisme ; 3. Noms de raillerie ou de mépris, à l'exception de *Gualehaul*, personnage du roman de *Lancelot ;* 4. « Il n'y avait pas de science des modes » ; c'est l'expérience qui montre que, de tous les modes imaginables, dix-neuf seulement sont conclusifs ; 5. Le *Compost*, objet d'une si longue étude, n'est qu'un almanach popu-laire ; 6. *Jobelin* veut dire « jobard », *Bridé* évoque un oison ; c'est encore un nom d'imbécile ; 7. Manuels scolaires médiévaux, ouvrages de grammaire, de rhétorique ou de morale ; Rabelais s'amuse du titre de certains d'entre eux : *Dormi secure* (« Dors en paix »), ou *De moribus in mensa servandis* (« De la façon de se tenir à table »). Il déforme plaisamment en *Marmotret* le *Mammotreptus*, commentaire sur les psaumes et sur les vies des saints.

QUESTIONS

3. Quelle est l'importance de l'indication historique donnée à la ligne 40 ?
— Les détails sur le gigantisme de l'écritoire (lignes 42-47) n'ont-ils pas une valeur symbolique ?

« L'on lui enseigna un grand docteur en théologie,
nommé maître Thubal Holopherne. »
(Chap. XIV, lignes 32-34.)

Illustration de Gustave Doré. Édition de 1854. — B. N. Imprimés.

autres de semblable farine. A la lecture desquels
il devint aussi sage qu'onques*'puis** ne four-
nâmes-nous¹. **(4)**

* jamais
** depuis

CHAPITRE XV

COMMENT GARGANTUA FUT MIS SOUS AUTRES PÉDAGOGUES

A tant* son père aperçut que vraiment il étudiait très bien et y mettait tout son temps, toutefois qu'en rien ne profitait, et, que pis est, en
devenait fou, niais, tout rêveux et rassoté*.

5 De quoi se complaignant* à don Philippe des
Marays, vice-roi de Papeligosse², entendit³ que
mieux lui vaudrait rien n'apprendre que tels
livres sous tels précepteurs apprendre, car leur
savoir n'était que bêterie, et leur sapience*

10 n'était que moufles*, abâtardissant les bons et
nobles esprits et corrompant toute fleur de
jeunesse. **(1)**

« Qu'ainsi soit : prenez, dit-il, quelqu'un de
ces jeunes gens du temps présent, qui ait seule-
15 ment étudié deux ans. En cas qu'il n'ait meilleur
jugement, meilleures paroles, meilleur propos que
votre fils, et meilleur entretien et honnêteté*
entre le monde, réputez-moi⁴ à jamais un taille-

* Alors

* radoteur
* se plaignant

* sagesse
* niaiseries

* aisance

---

1. *Fourner* : mettre dans un four. Cette métaphore est amenée par *de semblable farine* ; 2. Région imaginaire, pays de délices dans les croyances populaires ; 3. *Entendit* : s'entendit dire ; 4. Donnez-moi la réputation d'être...

— **QUESTIONS** —

4. Sur l'ensemble du chapitre XIV. — Sur quels points précis Rabelais accentue-t-il sa critique de l'instruction médiévale ?
— Le temps nécessaire pour une telle instruction : comment le gigantisme contribue-t-il ici à la satire ? Rabelais avait-il eu recours à des exagérations de ce genre quand il racontait la petite enfance de Gargantua (chap. XI et XII) ?

1. Si Grandgousier est capable de constater les résultats néfastes de l'éducation donnée à Gargantua, pourquoi a-t-il besoin des conseils d'un autre pour découvrir les motifs de cet échec ? — Relevez et expliquez les termes qui définissent précisément les effets et les causes de la mauvaise méthode employée jusqu'ici.

bacon* de la Brenne[1]. » Ce que** à Grandgousier
20 plut très bien, et commanda qu'ainsi fût fait. (2)

    Au soir, en soupant*, ledit des Marays intro-
duit un sien jeune page de Villegongis[2], nommé
Eudémon[3], tant bien testonné*, tant bien tiré,
tant bien épousseté, tant honnête en son main-
25 tien que trop mieux* ressemblait quelque petit
angelot qu'un homme. Puis dit à Grandgousier :
« Voyez-vous ce jeune enfant? il n'a encore
douze ans. Voyons si bon vous semble, quelle
différence y a entre le savoir de vos rêveurs
30 matéologiens[4] du temps jadis et les jeunes gens
de maintenant. » (3)

    L'essai plut à Grandgousier, et commanda
que le page proposât*. Alors Eudémon, demandant congé* de ce faire audit vice-roi son maître,
35 le bonnet au poing, la face ouverte, la bouche
vermeille, les yeux assurés, et le regard assis*
sur Gargantua avec modestie juvénile, se tint
sur ses pieds et commença le louer et magnifier,
premièrement de sa vertu et bonnes mœurs,
40 secondement de son savoir, tiercement de sa
noblesse, quartement de sa beauté corporelle,
et, pour le quint*, doucement l'exhortait à révérer son père en toute observance*, lequel tant
s'étudiait* à bien le faire instruire; enfin le priait
45 qu'il le voulût retenir pour le moindre de ses
serviteurs, car autre don pour le présent ne
requérait des cieux, sinon qu'il lui fût fait grâce
de lui complaire en quelque service agréable.
Le tout fut par icelui* proféré avec gestes tant

Margin notes:
* fanfaron (taille-lard)
** qui
* dînant
* coiffé
* bien plus
* fît un exposé
* permission
* fixé
* cinquièmement
* occasion
* prenait soin
* celui-ci

---

1. *Brenne :* région d'étangs dans le Berry, autour de Châtillon-sur-Indre; 2. *Ville-gongis :* localité près de Châteauroux; 3. *Eudémon :* transcription d'un mot grec qui signifie « heureux »; 4. *Matéologien :* terme burlesque qui combine le mot « théo-logien » avec un mot grec signifiant « diseur de bêtises » (ματαιολόγος). Calembour traditionnel chez les humoristes.

——— **QUESTIONS** ———

2. En quoi l'éducation moderne est-elle le contraire de l'éducation médiévale? Les qualités qu'elle aide à acquérir.

3. Le portrait d'Eudémon : quel effet de contraste prend-il par rap-port au portrait de Gargantua esquissé à la ligne 4? — La valeur allé-gorique de son nom. Pourquoi Rabelais parle-t-il toujours de la rêverie (ligne 29) de façon péjorative ?

50 propres, prononciation tant distincte, voix tant
éloquente, et langage tant orné* et bien latin,   * élégant
que mieux ressemblait un Gracchus, un Cicéron
ou un Aemilius[1] du temps passé qu'un jouven-
ceau de ce siècle. **(4)**

55   Mais toute la contenance de Gargantua fut
qu'il se prit à pleurer comme une vache, et se
cachait le visage de son bonnet, et ne fut possible
de tirer de lui une parole non plus qu'un pet
d'un âne mort.

60   Dont son père fut tant courroucé qu'il voulut
occire* maître Jobelin. Mais ledit des Marays   * tuer
l'en garda par belle remontrance qu'il lui fit,
en manière que fut son ire* modérée. Puis   * colère
commanda qu'il fût payé de ses gages et qu'on
65 le fît bien chopiner théologalement[2]; ce* fait,   * cela
qu'il allât à tous les diables.

   « Au moins, disait-il, pour le jour d'hui ne
coûtera-t-il guère à son hôte, si d'aventure il
mourait ainsi, saoul comme un Anglais. » **(5)**

70   Maître Jobelin parti de la maison, consulta*   * délibéra
Grandgousier avec le vice-roi quel précepteur
l'on lui pourrait bailler, et fut avisé entre eux
qu'à cet office serait mis Ponocrates[3], péda-
gogue d'Eudémon, et que tous ensemble iraient
75 à Paris, pour connaître quel était l'étude des
jouvenceaux de France pour icelui temps. **(6)**

---

1. *Tiberius Gracchus* (162-133 av. J.-C.), le tribun, et Paul Émile (230-160 av. J.-C.), le vainqueur du roi de Macédoine Persée, sont l'un et l'autre rangés par Cicéron parmi les grands orateurs; 2. *Théologalement :* en théologien. Rabelais raille souvent l'ivrognerie des docteurs en Sorbonne. Le mot a été remplacé par *sophistiquement* dans les éditions ultérieures (voir page 28, note 1); 3. *Ponocrates :* mot formé de racines grecques et qui signifie « qui domine sa tâche ».

━━━ QUESTIONS ━━━

4. Quels sont les mérites du discours d'Eudémon? Pourquoi Rabelais insiste-t-il sur la conformité entre les propos et l'attitude du jeune page? Quelle personnalité ces qualités révèlent-elles?

5. Expliquez le revirement de Grandgousier. A-t-il réellement apprécié la valeur du discours prononcé par Eudémon? — Le caractère de Grandgousier : en quoi est-il resté aussi un peu un homme du Moyen Age?

6. SUR L'ENSEMBLE DU CHAPITRE XV. — Rabelais parle de l'*honnêteté* d'Eudémon (voir lignes 17 et 24). Définissez cette notion d'après l'image que Rabelais nous donne du page et de son maître Philippe des Marays. En quoi cet idéal de l'« honnête homme » annonce-t-il les goûts du siècle suivant? En quoi en diffère-t-il?

CHAPITRE XVI

COMMENT GARGANTUA FUT ENVOYÉ À PARIS, ET DE L'ÉNORME JUMENT QUI LE PORTA, ET COMMENT ELLE DÉFIT LES MOUCHES BOVINES DE LA BEAUCE

En cette même saison, Fayoles[1], quart* roi   * quatrième
de Numidie, envoya du pays d'Afrique à Grandgousier une jument la plus énorme et la plus
grande que* fut onques** vue, et la plus mons-   * qui ** jamais
5 trueuse (comme assez savez qu'Afrique apporte
toujours quelque chose de nouveau[2]) car elle
était grande comme six oriflans* et avait les   * éléphants
pieds fendus en doigts comme le cheval de Jules
César, les oreilles ainsi pendantes comme les
10 chèvres de Languegoth*. Au reste, avait poil   * Languedoc
d'alezan toustade*, entreillisé de grises pomme-   * brûlé
lettes. Mais sur tout avait la queue horrible, car
elle était, poi* plus poi moins[3], grosse comme   * peu
la pile* Saint-Mars[4] auprès de Langès, et ainsi   * tour
15 carrée, avec les brancards* ni plus ni moins   * branches
ennicrochés[5] que sont les épis au blé. [...] **(1)**

Et fut amenée par mer en trois caraques et
un brigantin, jusques au port d'Olonne[6] en Talmondais. Lorsque Grandgousier la vit :
20 « Voici, dit-il, bien le cas pour porter mon
fils à Paris. Or ça, de par Dieu, tout ira bien.
Il sera grand clerc on* temps advenir. Si n'étaient   * au
messieurs les bêtes, nous vivrions comme
clercs[7]. » **(2)**

---

1. Le modèle de ce roi imaginaire est un parent de la famille d'Estissac, qui proté-
geait Rabelais : le capitaine Jean de Fayoles, qui visita les côtes d'Afrique; 2. Dicton
ancien cité par Érasme, *Adages*, III, VII, 10; 3. L'expression *(un peu plus, un peu
moins)* signifie « environ »; 4. Cette ancienne borne frontière avait 4 m de large et
20 m de haut. Elle se trouvait à 1 km de Chinon; 5. *Ennicroché :* ajusté avec des
crochets; 6. Les Sables-d'Olonne. Le *Talmondais* est la région de Vendée où se trouve
ce port; 7. Lapsus de Grandgousier : il intervertit bêtes et clercs.

QUESTIONS

1. Cette description ne flatte-t-elle pas l'un des goûts du XVIe siècle?
Lequel? — A quel registre le roman revient-il avec ce portrait?
2. Quelle idée Rabelais a-t-il derrière la tête en faisant commettre
à Grandgousier ce lapsus?

25   Au lendemain, après boire (comme entendez),
prirent chemin Gargantua, son précepteur Ponocrates et ses gens, ensemble* eux Eudémon, le   * avec
jeune page. Et parce que c'était en temps serein
et bien attrempé*, son père lui fit faire des   * tempéré
30 bottes fauves : Babin les nomme brodequins.
Ainsi joyeusement passèrent leur grand chemin
et toujours grand'chère*, jusques au-dessus   * bombance
d'Orléans. Auquel lieu était une ample forêt,
de la longueur de trente et cinq lieues, et de
35 largeur dix et sept, ou environ. Icelle* était   * celle-ci
horriblement fertile et copieuse en mouches
bovines et frelons, de sorte que c'était une vraie
briganderie pour les pauvres juments, ânes et
chevaux. Mais la jument de Gargantua vengea
40 honnêtement tous les outrages en icelle perpé-
trés sur les bêtes de son espèce, par un tour
duquel ne se doutaient mie. Car soudain qu'ils
furent entrés en ladite forêt et que les frelons
lui eurent livré l'assaut, elle dégaina sa queue,
45 et si bien s'escarmouchant les émoucha qu'elle
en abattit tout le bois. A tort, à travers, deçà,
delà, par ci, par là, de long, de large, dessus,
dessous, abattait bois comme un faucheur fait
d'herbes. En sorte que, depuis, n'y eut ni bois
50 ni frelons, mais fut tout le pays réduit en campagne.
    Quoi voyant Gargantua, y prit plaisir bien
grand, sans autrement s'en vanter, et dit à ses
gens : « Je trouve *beau ce* », dont* fut depuis   * d'où
55 appelé ce pays la Beauce. Mais tout leur déjeuner fut par bâiller, en mémoire de quoi, encore
de présent, les gentilshommes de Beauce déjeunent
de bâiller et s'en trouvent fort bien et n'en
crachent que mieux[1]. (3)

---

1. Leur pauvreté est telle qu'ils ne peuvent soulager leur faim qu'en bâillant. La
misère des gentilshommes beaucerons était alors proverbiale.

━━━ QUESTIONS ━━━

3. La composition de ce chapitre : par quels détours arrive-t-on à
la phrase (ligne 54) qui est sans doute à l'origine de tout le récit? Comment
définir ce genre de composition? — A quand remonte le goût des étymo-
logies fantaisistes des noms de lieux? Dans quelle intention Rabelais se
prête-t-il à ce jeu?

60   Finalement arrivèrent à Paris, auquel lieu se
rafraîchit deux ou trois jours, faisant chère lie*   * bombance
avec ses gens, et s'enquêtant quels gens savants
étaient pour lors en la ville et quel vin on y
buvait. **(4)**

CHAPITRE XVII

COMMENT GARGANTUA
PAYA SA BIENVENUE ÈS PARISIENS
ET COMMENT IL PRIT LES GROSSES CLOCHES
DE L'ÉGLISE NOTRE-DAME

    Quelques jours après qu'ils se furent rafraî-
chis, il visita la ville, et fut vu de tout le monde
en grande admiration, car le peuple de Paris
est tant sot, tant badaud et tant inepte de nature,
5 qu'un bateleur, un porteur de rogatons*, un   * reliques
mulet avec ses cymbales, un vielleux au milieu
d'un carrefour, assemblera plus de gens que ne
ferait un bon prêcheur évangélique. **(1)**

    Et tant molestement* le poursuivirent qu'il   * péniblement
10 fut contraint soi reposer sur les tours de l'église
Notre-Dame. Auquel lieu étant, et voyant tant
de gens à l'entour de soi, dit clairement :

    « Je crois que ces maroufles veulent que je
leur paye ici ma bienvenue et mon *proficiat*[1].

---

1. *Proficiat* : don qu'en guise de bienvenue on accordait aux évêques.

——————— **QUESTIONS** ———————

4. SUR L'ENSEMBLE DU CHAPITRE XVI. — Pourquoi ce chapitre de transition? En revenant sur les différents chapitres qui constituent le roman
jusqu'ici, essayez de dégager les procédés de composition de l'œuvre.

1. Dans quelle tradition le jugement de Rabelais sur le peuple de
Paris se place-t-il? Citez des œuvres littéraires antérieures et postérieures
à *Gargantua*, qui exploitent ce même thème. — Comment la satire de
la badauderie des Parisiens s'actualise-t-elle par l'allusion au *porteur
de rogatons* et au *prêcheur évangélique*?

15 C'est raison. Je leur vais donner le vin, mais
ce ne sera que par ris[1]. »

[Par vengeance, Gargantua compisse la foule et provoque la noyade
de deux cent soixante mille quatre cent dix-huit Parisiens, « sans
les femmes et petits enfants ».]

Ce fait, considéra les grosses cloches[2] qui
étaient ès* dites tours, et les fit sonner bien   * dans les
harmonieusement. Ce que faisant lui vint en
20 pensée qu'elles serviraient bien de campanes*   * clochettes
au col de sa jument, laquelle il voulait renvoyer
à son père, toute chargée de fromages de Brie
et de harengs frais. De fait, les emporta en son
logis. (2)

25 Cependant vint un commandeur jambonnier[3]
de saint Antoine, pour faire sa quête suille*,   * de cochon
lequel, pour se faire entendre de loin et faire
trembler le lard au charnier*, les voulut emporter   * saloir
furtivement, mais par honnêteté les laissa, non
30 parce qu'elles étaient trop chaudes, mais parce
qu'elles étaient quelque peu trop pesantes à la
portée[4]. Cil* ne fut pas celui de Bourg, car il   * celui-ci
est trop de mes amis[5]. (3)

Toute la ville fut émue* en sédition, comme   * entraînée
35 vous savez qu'à ce ils sont tant faciles que les
nations étranges* s'ébahissent de la patience   * étrangères

---

1. *Par ris*, par dérision, et, en même temps, calembour avec Paris; 2. La tour sud
de Notre-Dame contenait deux grosses cloches (12 000 kg et 7 500 kg); 3. L'ordre
religieux de Saint-Antoine-du-Dauphiné avait le privilège de laisser ses porcs errer
dans les villes. Il y renonça à la condition qu'il recevrait au cours d'une quête une
redevance en lard et en jambon, d'où l'épithète de *jambonnier*; 4. Plaisanterie sug-
gérée par le dicton : « Rien de trop chaud, ni de trop pesant »; 5. Allusion au poète
Antoine du Saix, commandeur de Saint-Antoine-de-Bourg-en-Bresse et ami de
Rabelais.

——————— **QUESTIONS** ———————

2. Dans cet épisode, Rabelais a-t-il seulement l'intention d'illustrer
la force physique de son géant? Comment s'explique le comportement
de Gargantua à l'égard des Parisiens?

3. Pourquoi cette digression? Que vaut l'*honnêteté* du commandeur
jambonnier? — Quelle variation Rabelais imagine-t-il ici sur la théorie
du voleur volé? Les intentions de Gargantua peuvent-elles se comparer
à celles du commandeur jambonnier?

des rois de France, lesquels autrement par bonne
justice ne les refrènent, vus les inconvénients qui
en sortent de jour en jour. Plût à Dieu que
40 je susse l'officine en laquelle sont forgés ces
schismes et monopoles*, pour les mettre en évidence ès* confréries de ma paroisse! (4)

    Croyez que le lieu auquel convint* le peuple,
tout folfré[1] et habaliné*, fut Sorbonne[2] où
45 lors était, maintenant n'est plus, l'oracle de
Lutèce. Là fut proposé* le cas, et remontré
l'inconvénient des cloches transportées[3]. Après
avoir bien ergoté *pro et contra*, fut conclu en
baralipton[4] que l'on enverrait le plus vieux et
50 suffisant* de la Faculté vers Gargantua, pour
lui remontrer l'horrible inconvénient de la perte
d'icelles* cloches; et nonobstant la remontrance
d'aucuns* de l'Université, qui alléguaient que
cette charge mieux compétait* à un orateur[5]
55 qu'à un théologien[6], fut à cet affaire élu notre
maître[7] Janotus de Bragmardo. (5) (6)

* complots
* dans les
* se rassembla
* bouleversé
* exposé
* capable
* ces
* certains
* convenait

---

1. *Folfré* : mot d'étymologie et d'origine inconnues; il a sans doute un sens voisin de *habaliné* ; 2. La *Sorbonne* est la faculté de théologie. Dans les dernières éditions, Rabelais remplace ce mot par Nesle, ce qui revenait au même : dans l'hôtel de Nesle (situé au bord de la Seine, à l'emplacement de l'hôtel de la Monnaie actuel) étaient jugés les procès de l'Université; 3. Du fait qu'on avait emporté les cloches; 4. *Baralipton* désigne la forme de syllogisme qui comprend dans l'ordre deux universelles affirmatives et une particulière affirmative; 5. C'est-à-dire un maître de la faculté des arts, un professeur de rhétorique, ou, dirions-nous, de lettres; 6. *Théologien*, c'est-à-dire professeur de la Sorbonne, fut remplacé, dans les éditions suivantes, par *sophiste* (voir page 28, note 1, et page 34, note 2); 7. *Notre maître* : traduction du titre officiel des docteurs en théologie *(Magister noster)*.

    ━━━ QUESTIONS ━━━

4. Essayez d'expliquer les allusions politiques de ce paragraphe; à quels événements d'actualité Rabelais fait-il allusion? — Le ton et le style de la polémique : comment s'allient hardiesse et habileté dans les remontrances au pouvoir royal?

5. Est-il normal que l'autorité à laquelle le peuple a recours en pareil cas soit la Sorbonne? Relevez tous les détails démontrant l'incohérence et l'absurdité qui président à la succession des événements.

6. SUR L'ENSEMBLE DU CHAPITRE XVII. — Les thèmes de critique sociale et politique qui sont rassemblés et associés dans cet épisode : dans quelle mesure le vol des cloches révèle-t-il les désordres d'une société dont les mœurs et les institutions ne se règlent ni sur la nature ni sur la raison?
    — Est-ce la société médiévale ou la société de son temps que Rabelais satirise ici? Quelles incertitudes laisse-t-il planer sur ce point?
    — Rabelais et le peuple d'après ce chapitre.

CHAPITRE XVIII

[Gargantua et ses compagnons rendent les cloches à l'insu de maître Janotus. Ils enferment celui-ci et l'enivrent. Ils se réservent le plaisir de l'entendre ensuite parler pour rien.]

CHAPITRE XIX

LA HARANGUE DE MAÎTRE JANOTUS DE BRAGMARDO FAITE À GARGANTUA POUR RECOUVRER LES CLOCHES

« Ehen, hen, hen! *Mna dies*[1], monsieur, *mna dies, et vobis*, messieurs. Ce ne serait que bon que nous rendissiez nos cloches, car elles nous font bien besoin. Hen, hen, hasch! Nous en
5 avions bien autrefois refusé de bon argent de ceux de Londres en Cahors[2], si avions-nous[3] de ceux de Bordeaux en Brie[4], que* les voulaient acheter pour la substantifique* qualité de la complexion élémentaire qu'est intronifiquée* en
10 la terrestérité[5] de leur nature quidditative* pour extranéiser* les halos** et les turbines*** sur nos vignes, vraiment non pas nôtres, mais d'ici auprès, car si nous perdons le piot*, nous perdons tout, et sens et loi[6]. (1)

* qui
* nourrissante
* intronisée
* essentielle
* écarter
** pluies
*** tourbillons
* vin

---

1. *Mna dies : bona dies*, « bonjour », dit avec l'accent français; 2. Il y a effectivement une localité nommée Londres, non loin du château de Cahuzac (voir page 27, note 6), près de Marmande; 3. Nous avions fait de même; 4. Un village d'Ile-de-France, entre Paris et Meaux, s'appelle en effet Bordeaux; 5. Qui est introduite dans le caractère terrestre; 6. Il y a un jeu de mots qui confond l'acception philosophique des mots *sens* et *loi* avec leur acception juridique (ce sont des redevances féodales).

--- **QUESTIONS** ---

1. Essayez de traduire en langage clair la seconde phrase du paragraphe (lignes 4-14) : quel contraste produit-elle avec la phrase précédente (lignes 2-4)? Que veut prouver Rabelais par cette juxtaposition? — Le thème bachique : l'usage du vin, tel que le pratiquent les sorbonagres, est-il ici bénéfique? Comment en ont-ils faussé les vertus?

La harangue de maître Janotus de Bragmardo à Gargantua.
(Chap. XIX, p. 40.)

Édition de 1744. — B. N. Imprimés.

15 « Si vous nous les rendez à ma requête, j'y
gagnerai six pans[1] de saucisses et une bonne
paire de chausses qui me feront grand bien à
mes jambes; ou ils ne me tiendront pas pro-
messe[2]. Ho! par Dieu, *Domine*, une paire de
20 chausses est bon, *et vir sapiens non abhorrebit
eam*[3]. Ha! ha! Il n'a pas paire de chausses qui
veut. Je le sais bien, quant est de moi. Avisez,
Domine : il y a dix-huit jours que je suis à mata-
graboliser* cette belle harangue. *Reddite quae*   * méditer
25 *sunt Caesaris Caesari, et quae sunt Dei Deo*[4]. *Ibi
jacet lepus*[5]. Par ma foi, *Domine*, si voulez souper avec moi *in camera*[6], par le corps Dieu!
charitatis, nos faciemus bonum cherubin[7]. *Ego
occidi unum porcum, et ego habeo bon vino*[8].
30 Mais de bon vin on ne peut faire mauvais latin.

Or sus, *de parte Dei, date nobis clochas nos-
tras*[9]. Tenez, je vous donne de par la Faculté
un *sermones de Utino*[10], que*, *utinam*[11], vous nous   * pourvu que
baillez* nos cloches. *Vultis etiam pardonos? Per*   * bailliez *(subj.)*
35 *diem, vos habebitis et nihil payabitis*[12]. **(2)**

« O monsieur! *Domine, clochi dona minor
nobis*[13]. *Dea**, *est bonum urbis*[14]. Tout le monde   * Vraiment

---

1. *Pan* ou *empan :* mesure de longueur équivalant à 24 cm; 2. Telle est la récompense promise par ses confrères à Janotus s'il obtient gain de cause, mais leur rapacité ne lui inspire qu'à moitié confiance; 3. Et l'homme de sagesse ne se détournera pas d'elle. Transposition bouffonne d'un verset de l'Ecclésiaste (XXXVIII, 4); 4. Rendez à César ce qui est à César, à Dieu ce qui est à Dieu (Évangile de saint Luc, XX, 25); 5. C'est ici que le lièvre a son gîte, c'est-à-dire c'est là qu'il faut chercher, c'est là le point important. Expression traditionnelle dans les controverses d'école; 6. *In camera charitatis :* dans la chambre de charité, c'est-à-dire là où, dans certains couvents, l'on donne gratuitement à manger aux visiteurs; 7. Nous ferons un bon repas, en argot universitaire; 8. J'ai tué un porc et j'ai du bon vin (latin de cuisine); 9. Au nom de Dieu, donnez-nous nos cloches. 10. Un sermon d'Udine. Lionardo Mattei d'Udine avait composé des sermons très célèbres; 11. *Utinam* traduit en latin le *que* qui précède; 12. Voulez-vous même des pardons? Pardi! Vous en aurez, et même vous ne paierez rien. Allusion à la vente par l'Église des indulgences pour l'au-delà, dont le scandale fut à l'origine directe de la révolte protestante. Voir *Pantagruel*, chap. XVII; 13. *Janotus* réclame encore les cloches, mais son latin ne se laisse pas traduire; 14. C'est la propriété de la ville.

━━━━ QUESTIONS ━━━━

2. A quoi voit-on l'influence du *piot* dans les propos tenus par Janotus dans les lignes 15-30? — Quels aveux transparaissent à travers les incohérences de son langage? Qu'y a-t-il de sordide et de mesquin chez ces maîtres de l'Université, défenseurs de la foi catholique? Rabelais s'en prend-il d'ailleurs à la seule faculté de théologie et à la seule Université?

s'en sert. Si votre jument s'en trouve bien, aussi
fait notre Faculté, *quae comparata est jumentis*
40 *insipientibus, et similis facta est eis, Psalmo nescio*
quo[1] — si l'avais-je bien coté* en mon paperat**   * noté ** papier
— *et est unum bonum Achilles*[2]. Hen, hen, ehen,
hasch !

« Ça je vous prouve que me les devez bailler.
45 *Ego sic argumentor : Omnis clocha clochabilis*
in clocherio clochando clochans clochativo clo-
chare facit clochabiliter clochantes. Parisius
habet clochas[3]. *Ergo gluc*[4]. Ha, ha, ha, c'est
parlé cela ! Il est *in tertio primae*, en *Darii*[5] ou
50 ailleurs. Par mon âme, j'ai vu le temps que je   * merveilles
faisais diables* d'arguer. Mais de présent je ne
fais plus que rêver, et ne me faut plus dorénavant que bon vin, bon lit, le dos au feu, le ventre
à table et écuelle bien profonde. Hé, *Domine*,
55 je vous prie, *in nomine Patris et Filii et Spiritus*   * rendiez *(subj.)*
sancti, amen[6], que vous rendez* nos cloches, et
Dieu vous gard'de mal et Notre-Dame de Santé[7],
qui vivit et regnat per omnia saecula saeculorum,
amen[8]. Hen he hasch, asch, grenhenhasch ! (3)

---

1. Qui, comparée à des bêtes de somme dépourvues de raison, leur est devenue
semblable, d'après le psaume je ne sais plus combien; 2. Et c'est un bon Achille,
c'est-à-dire un argument de grande valeur, semblable au fameux argument d'Achille
et la tortue, qui prouvait irréfutablement que le mouvement n'existait pas; 3. Moi,
voici comme j'argumente. Toute cloche clochable clochant en clochant dans son
clocher de façon clochante fait clocher clochablement ceux qui clochent. Or, à Paris,
il y a des cloches. Ce sont les deux premières propositions du syllogisme que prétend
faire Janotus; 4. *Ergo*, donc, introduit la conclusion du syllogisme, mais cette conclusion est aussi dépourvue de sens que les prémisses; 5. Ce
syllogisme, d'après Janotus, reproduisait le troisième mode de la première figure,
c'est-à-dire *Darii*, soit une universelle affirmative, deux particulières affirmatives
sur le type : « Tous les hommes sont mortels, or Socrate est un homme, donc Socrate
est mortel »; 6. Seigneur..., au nom du Père, du Fils et du Saint-Esprit, ainsi soit-il;
7. Invocation sous laquelle la Vierge était vénérée dans le Midi; 8. Qui vit et règne
par tous les siècles des siècles, ainsi soit-il. Formule rituelle qui termine les oraisons;
mais elle se rapporte à Dieu et non pas à Notre-Dame que Janotus a malencontreu-
sement intercalée.

=== **QUESTIONS** ===

3. Sur quel aspect ridicule de la rhétorique traditionnelle Rabelais
insiste-t-il aux lignes 40-41 *(Psalmo nescio quo)* et 49-50 *(ou ailleurs)*? —
A quels moments le discours de Janotus redevient-il naturel, sincère et
cohérent?

60 « *Verum enim vero, quando quidem, dubio pro-
cul, edepol, quoniam, ita, certe, meus Deus fidus*[1]
une ville sans cloches est comme un aveugle
sans bâton, un âne sans croupière, et une vache
sans cymbales. Jusques à ce que nous les ayez
65 rendues, nous ne cesserons de crier après vous
comme un aveugle qui a perdu son bâton, de
brailler comme un âne sans croupière, et de
bramer comme une vache sans cymbales. (4)

Un quidam latinisateur, demeurant près
70 l'Hôtel-Dieu, dit une fois, alléguant l'autorité
d'un Taponnus (je faux*, c'était Pontannus[2], poète   * me trompe
séculier), qu'il désirait qu'elles fussent de plume
et le batail* fût d'une queue de renard, pour   * battant
ce qu'elles lui engendraient la chronique[3] aux
75 tripes du cerveau quand il composait ses vers
carminiformes[4]. Mais nac petetin petetac, ticque[5],
torche, lorgne[6], il fut déclaré hérétique : nous
les faisons comme de cire[7]. Et plus n'en dit
le déposant. *Valete et plaudite. Calepinus*
80 *recensui*[8]. » (5) (6)

---

1. Suite de formules de liaison qui ne lient rien du tout; 2. Giovano Pontano (1426-1503), homme d'État, poète et historien italien, s'il n'a jamais rien dit de tel, partageait néanmoins la haine de Rabelais pour les cloches; 3. Confusion de *chro-nique* avec « colique »; 4. En forme de vers (pléonasme); 5. Onomatopées qui miment le combat; 6. Termes d'escrime; 7. Aussi facilement que l'on modèle de la cire; 8. Toutes les formules de conclusion sont bonnes pour Janotus, pourvu qu'elles ne conviennent pas. *Et plus n'en dit le déposant :* jargon judiciaire. — *Valete et plau-dite :* portez-vous bien et applaudissez; c'était les derniers mots des comédies antiques. — *Calepinus recensui :* c'est ainsi que Calepin (l'érudit Ambrogio Calepino [1440-1510]), au nom demeuré célèbre, signa son dictionnaire.

QUESTIONS

4. Où réside le comique de cette période oratoire, qui est pourtant solidement construite?

5. Qu'y a-t-il d'inquiétant sous l'apparence grotesque de cette péro-raison? Quel sentiment a pu pousser Janotus à se servir de ces derniers arguments pour conclure son discours?

6. SUR L'ENSEMBLE DU CHAPITRE XIX. — Pourquoi Rabelais a-t-il ima-giné que Gargantua avait déjà restitué les cloches au moment où Jano-tus prononce sa harangue? Quel genre de comique en résulte?
— Faites le bilan de tout ce qui est critiqué dans ce chapitre; sur quels points la verve satirique de Rabelais accentue-t-elle son attaque?
— Distinguez les différents procédés comiques : montrez les divers degrés du bouffon et du grotesque. Peut-on déduire de cette caricature d'éloquence les qualités que Rabelais exige de la bonne rhétorique?

CHAPITRE XX

[Gargantua a comblé Janotus de cadeaux. Lorsqu'il est de retour, non seulement ses collègues refusent de lui donner l'étoffe et les saucisses promises, mais encore ils veulent lui ravir les dons de Gargantua. Janotus doit recourir à toute son éloquence pour les garder.]

CHAPITRE XXI

L'ÉTUDE DE GARGANTUA
SELON LA DISCIPLINE
DE SES PROFESSEURS SORBONAGRES[1]

Les premiers jours ainsi passés et les cloches remises en leur lieu, les citoyens de Paris, par reconnaissance de cette honnêteté, s'offrirent d'entretenir et nourrir sa jument tant qu'il lui
5 plairait — ce que Gargantua prit bien à gré —, et l'envoyèrent vivre en la forêt de Bière[2]. Je crois qu'elle n'y soit plus maintenant.

Ce fait, voulut de tout son sens étudier à la discrétion de Ponocrates. Mais icelui*, pour le   * celui-ci
10 commencement, ordonna qu'il ferait à sa manière accoutumée, afin d'entendre par quel moyen, en si long temps, ses antiques précepteurs l'avaient rendu tant fat*, niais et ignorant. (1)   * stupide

Il dispensait donc son temps en telle façon
15 que, ordinairement, il s'éveillait entre huit et neuf heures, fût jour ou non; ainsi l'avaient ordonné ses régents théologiques, alléguants ce que dit David : *vanum est vobis ante lucem*   * gambadait
surgere[3]. Puis se gambayait*, penadait**, et pail-   ** piaffait

---

1. *Sorbonagres* de la première édition est devenu par la suite *sophiste* (voir pages 28, note 1; 34, note 2; 39, note 6); **2.** La forêt de Fontainebleau; **3.** Il est vain de se lever avant la lumière (Psaume CXXVII, 2). Il était traditionnel d'alléguer cette phrase plaisamment.

--- **QUESTIONS** ---

1. Pourquoi cette précaution de la part de Ponocrates? Que laisse-t-elle présager de sa méthode?

20 lardait parmi le lit quelque temps, pour mieux
ébaudir ses esprits animaux[1], et s'habillait selon
la saison, mais volontiers portait-il une grande
et longue robe de grosse frise*, fourrée de   * laine
renards; après se peignait du peigne d'Almain[2],
25 c'était des quatre doigts et le pouce, car ses
précepteurs disaient que soi autrement peigner,
laver et nettoyer était perdre temps en ce
monde. (2)

Puis fientait, pissait, rendait sa gorge*, rotait,   * vomissait
30 pétait, bâillait, crachait, toussait, sanglotait,
éternuait et se morvait en archidiacre, et déjeu-
nait pour abattre la rosée et mauvais air : belles
tripes frites, belles carbonnades*, beaux jam-   * grillades
bons, belles cabirotades[3], et force soupes de
35 prime[4]. Ponocrates lui remontrait que tant soudain ne devait repaître au partir du lit, sans avoir
premièrement fait quelque exercice. Gargantua
répondit :

« Quoi? N'ai-je fait suffisant exercice? Je me
40 suis vautré six ou sept tours parmi le lit devant
que me lever. N'est-ce assez? Le pape Alexandre[5]
ainsi faisait par le conseil de son médecin juif[6],
et vécut jusques à la mort, en dépit des envieux.
Mes premiers maîtres m'y ont accoutumé,
45 disants que le déjeuner faisait bonne mémoire;
pourtant* y buvaient les premiers. Je m'en   * aussi
trouve fort bien, et n'en dîne que mieux. Et me
disait maître Tubal, qui fut premier de sa licence

---

1. *Esprits animaux* : éléments subtils, qui, selon la physiologie du temps, se propa-
geaient du cœur et du cerveau dans tout l'organisme pour y provoquer et y maintenir l'énergie vitale; 2. Jeu de mots sur le nom d'un théologien du début du XVIe siècle,
Jacques Almain; 3. *Cabirotade* : grillade de chevreau; 4. Les *soupes* étaient des tranches
de pain trempées dans du bouillon que l'on mangeait généralement à *prime*, c'est-à-
dire six heures du matin; 5. Alexandre VI Borgia, pape qui régna de 1492 à 1503.
Rabelais enquêta à Rome sur ses débordements pour le compte de son protecteur,
l'évêque de Maillezais, Geoffroy d'Estissac; 6. Bonnet de Lates, venu du Comtat
Venaissin à Rome, médecin et astrologue. Rabelais a maintes fois condamné l'empi-
risme des médecins juifs et arabes.

QUESTIONS

2. Qu'est-ce qui est ici reproché à l'éducation et au genre de vie du
Moyen Age? Montrez que c'est la définition même de la nature humaine
qui est en cause.

à Paris, que ce n'est tout l'avantage de courir
50 bien tôt, mais bien de partir de bonne heure;
aussi n'est-ce la santé totale de notre humanité
boire à tas, à tas, à tas, comme canes, mais oui
bien de boire matin; *unde versus*[1] :

> Lever matin n'est point bonheur;
> Boire matin est le meilleur. » **(3)**

Après avoir bien à point déjeuné, allait à
55 l'église, et lui portait-on, dedans un grand panier,
un gros bréviaire empantouflé[2], pesant, tant en
graisse qu'en fermoirs et parchemins, poi plus
poi moins[3], onze quintaux six livres. Là oyait*   * entendait
vingt et six ou trente messes. Cependant venait
60 son diseur d'heures en place* empaletoqué**   * en titre
comme une dupe*, et très bien antidoté son   ** enveloppé
haleine à force sirop vignolat[4]. Avec icelui*   * huppe
marmonnait toutes ces kyrielles, et tant curieu-   * celui-ci
sement* les épluchait qu'il n'en tombait un seul   * soigneusement
65 grain en terre. Au partir de l'église, on lui ame-
nait, sur une traine[5] à bœufs, un farat* de pate-   * tas
nôtres* de Saint-Claude[6] aussi grosses chacune   * chapelets
qu'est le moule d'un bonnet, et, se promenant
par les cloîtres, galeries ou jardin, en disait plus
70 que seize ermites. **(4)**

1. D'où les vers; 2. Enveloppé dans un sac comme un pied dans une pantoufle;
3. Environ (voir page 35, note 3) : c'est la formule pour indiquer le poids d'un animal,
mais, ici, la graisse ne peut désigner que la crasse; 4. Le *sirop vignolat* (adjectif formé
plaisamment sur *vigne*) est du vin; le diseur d'heures en a bu suffisamment pour changer son haleine; 5. *Traine* : grosse poutre munie de deux roues sur laquelle on trans-
portait les troncs d'arbre; 6. *Saint-Claude* : localité du Jura, connue par la qualité
des objets en bois tourné qu'on y fabrique.

──────── ■ QUESTIONS ────────

3. De quel genre de vérités Gargantua a-t-il été nourri par ses premiers maîtres? Pourquoi la sagesse des proverbes est-elle une fausse
sagesse aux yeux de Rabelais? — Le rapport entre l'activité physique
et les facultés intellectuelles selon la pédagogie médiévale.

4. Quelle est la forme de la pratique religieuse qui est raillée ici?
Comment le gigantisme de Gargantua permet-il de mieux mettre en relief
les erreurs d'une telle pratique?

Puis étudiait quelque méchante demie heure, les yeux assis dessus son livre; mais, comme dit le Comique[1], son âme était en la cuisine.

75 Pissant donc plein urinal, s'asseyait à table, et parce qu'il était naturellement flegmatique, commençait son repas par quelques douzaines de jambons, de langues de bœuf fumées, de boutargues[2], d'andouilles, et tels autres avant-coureurs de vin. Cependant quatre de ses gens 80 lui jetaient en la bouche l'un après l'autre, continûment, moutarde à pleines palerées*, puis buvait un horrifique trait de vin blanc pour lui soulager les rognons. Après, mangeait, selon la saison, viandes à son appétit, et lors cessait de 85 manger quand le ventre lui tirait. A boire n'avait point fin ni canon*, car il disait que les mètes** et bornes de boire étaient quand, la personne buvant, le liège de ses pantoufles enflait en haut d'un demi-pied. **(5) (6)**

* pelletées

* règle
** limites

CHAPITRE XXII

[Longue énumération des jeux auxquels Gargantua s'amuse.]

1. Térence, *l'Eunuque*, IV, VIII, 816 : *Animus est in patinis* (littéralement « J'ai l'esprit tout aux casseroles »). Cité par Érasme, *Adages*, III, VII, 10; 2. *Boutargues :* œufs de poisson.

———— QUESTIONS ————

5. La disproportion entre le temps consacré à l'étude (ligne 71) et la part donnée aux plaisirs de la table (lignes 32-35 et 74-89) : Rabelais condamne-t-il ceux-ci en eux-mêmes? A quels excès et à quel déséquilibre a-t-on habitué Gargantua?

6. SUR L'ENSEMBLE DU CHAPITRE XXI. — En comparant le chapitre XIV et le chapitre XXI, dressez le tableau de l'éducation médiévale selon Rabelais. Montrez comment ce réquisitoire, qui aurait été très injuste s'il s'était appliqué à la culture médiévale tant qu'elle avait été vivante, se justifiait à l'égard de ce qu'étaient devenues les traditions de celle-ci au XVIe siècle.

— Comment la formation imposée à Gargantua a-t-elle faussé ses qualités naturelles, tant sur le plan physique que dans les domaines intellectuel et moral?

CHAPITRE XXIII

COMMENT GARGANTUA FUT INSTITUÉ PAR PONOCRATES EN TELLE DISCIPLINE QU'IL NE PERDAIT HEURE DU JOUR

Quand Ponocrates connut la vicieuse manière de vivre de Gargantua, délibéra autrement l'instituer* en lettres; mais, pour les premiers jours, le toléra, considérant que Nature n'endure mutations soudaines sans grande violence.

5

* l'instruire

Pour donc mieux son œuvre commencer, supplia un savant médecin de celui temps, nommé maître Théodore[1], à ce qu'il considérât si possible était remettre Gargantua en meilleure voie. Lequel le purgea canoniquement* avec

10

* selon les règles

ellébore d'Anticyre[2], et, par ce médicament, lui nettoya toute l'altération et perverse habitude du cerveau. Par ce moyen aussi, Ponocrates lui fit oublier tout ce qu'il avait appris sous ses antiques précepteurs, comme faisait Timothée[3]

15

à ses disciples, qui avaient été instruits sous autres musiciens. (1)

Pour mieux ce faire, l'introduisait ès* compagnies des gens savants que* là étaient, à l'émulation desquels lui crût l'esprit et le désir d'étudier autrement et se faire valoir.

20

* dans les
* qui

Après, en tel train d'étude le mit qu'il ne perdait heure quelconque du jour : ains* tout

* mais

---

1. Dans les premières éditions, on lit, au lieu de *Théodore* (nom grec qui signifie « don de Dieu »), Séraphin Calobarsy, anagramme de Phrançoys Rabelais; 2. *L'ellébore d'Anticyre* passait dans l'Antiquité pour guérir la folie; 3. *Timothée :* poète lyrique grec du Ve siècle avant J.-C.; il ajouta, dit-on, plusieurs cordes à la lyre et créa un nouveau style musical.

■ QUESTIONS

1. Pourquoi le premier souci de Ponocrates est-il de purger son élève avec de l'ellébore? Rabelais n'a-t-il pas en des chapitres antérieurs exprimé en toutes lettres la signification symbolique de ce geste? Pourtant, en dépit de ce symbole, ne paraît-il pas aux lecteurs du XXe siècle que subsistent dans le système de Ponocrates de nombreux vestiges du passé médiéval? Indiquez lesquels.

son temps consommait en lettres et honnête
25 savoir. **(2)**

S'éveillait donc Gargantua environ quatre
heures du matin. Cependant qu'on le frottait,
lui était lue quelque pagine* de la divine Écri-   * page
ture hautement et clairement, avec prononciation
30 compétente à la matière, et à ce était commis
un jeune page, natif de Basché[1], nommé Ana-
gnostes[2]. Selon le propos et argument de cette
leçon, souvent es fois s'adonnait à révérer, adorer, prier et supplier le bon Dieu, duquel la
35 lecture montrait la majesté et jugements merveilleux. **(3)**

Puis allait ès* lieux secrets faire excrétion des   * aux
digestions naturelles. Là son précepteur répétait
ce qu'avait été lu, lui exposant les points plus
40 obscurs et difficiles. **(4)**

Eux retournant[3], considéraient l'état du ciel,
si tel était comme l'avaient noté au soir précédent, et quels signes entrait[4] le soleil, aussi la
lune, pour icelle* journée. **(5)**   * cette

45 Ce fait, était habillé, peigné, testonné*, accou-   * coiffé
tré* et parfumé, durant lequel temps on lui   * arrangé
répétait les leçons du jour d'avant. Lui-même

---

1. *Basché :* localité proche de Chinon; 2. Mot grec signifiant « lecteur »; 3. Les cabinets sont hors du logis; 4. Inversion et construction transitive du verbe *entrer*.

———— QUESTIONS ————

2. Les deux moyens employés par Ponocrates pour engager Gargantua dans sa nouvelle éducation : la contrainte y a-t-elle part? — Essayez
de définir le sens de l'expression *honnête savoir* (ligne 24). A ce sujet,
voir au chapitre xv ce qui est dit de l' « honnêteté ».

3. Qu'y a-t-il de changé par rapport à l'emploi du temps du chapitre xxi? Quelle place la piété occupe-t-elle désormais dans la journée
de Gargantua? — L'évangélisme de Rabelais : pourquoi peut-on affirmer que l'auteur prend ici assez nettement parti dans les controverses
religieuses du temps?

4. Que vous semble-t-il du choix de ce lieu? Un lecteur du xvie siècle
s'offusquait-il forcément?

5. Montrez, par d'autres exemples semblables à celui-ci, le souci
qu'a Rabelais, tout au long de ce chapitre, d'associer l'éducation de
l'adolescent à la vie et d'éviter qu'elle soit purement livresque.

les disait par cœur et y fondait quelques cas
pratiques et concernants l'état humain, lesquels
50 ils étendaient aucunes* fois jusque deux ou   * quelques
trois heures, mais ordinairement cessaient lors-
qu'il était du tout* habillé. Puis par trois bonnes   * entièrement
heures lui était faite lecture. (6)

Ce fait, issaient* hors, toujours conférants des   * sortaient
55 propos de la lecture, et se déportaient* en   * divertissaient
Bracque[1], ou ès* prés, et jouaient à la balle,   * dans les
à la paume, à la pile trigone[2], galantement*   * gaillardement
s'exerçants les corps comme ils avaient les âmes
auparavant exercé. Tout leur jeu n'était qu'en
60 liberté, car ils laissaient la partie quand leur
plaisait, et cessaient ordinairement lorsque
suaient parmi le corps, ou étaient autrement las.
Adonc* étaient très bien essuyés et frottés,   * Alors
changeaient de chemise, et, doucement se pro-
65 menants, allaient voir si le dîner* était prêt.   * déjeuner
Là attendants, récitaient clairement et éloquen-
tement quelques sentences retenues de la leçon. (7)

Cependant Monsieur l'Appétit venait, et par
bonne opportunité s'asseyaient à table. Au
70 commencement du repas, était lue quelque
histoire plaisante des anciennes prouesses,
jusques à ce qu'il eût pris son vin. Lors, si bon
semblait, on continuait la lecture, ou commen-
çaient à deviser joyeusement ensemble, parlants,
75 pour les premiers mois, de la vertu, propriété,
efficace* et nature de tout ce que leur était servi   * effets
à table : du pain, du vin, de l'eau, du sel, des
viandes, poissons, fruits, herbes, racines, et de
l'apprêt d'icelles*. Ce que faisant, apprit en   * celles-ci

---

1. Le jeu de paume du Grand Bracque était sis place de l'Estrapade, sur la mon-
tagne Sainte-Geneviève; 2. Jeu de balle où les trois joueurs se plaçaient en triangle
(trigone).

QUESTIONS

6. Sur quoi porte ici la différence avec l'ancien système, notamment
en ce qui concerne le rôle de la mémoire?

7. Relevez les expressions qui insistent sur le souci de préserver l'équilibre naturel. — Les rapports de la nature et de la liberté dans ce système d'éducation.

80 peu de temps tous les passages à ce compétants*
en Pline, Athénée, Dioscorides, Julius Pollux,
Galien, Porphyre, Oppian, Polybe, Héliodore,
Aristotèles, Elian[1] et autres. Iceux* propos tenus,
faisaient souvent, pour plus être assurés, appor-
85 ter les livres susdits à table. Et si bien et entièrement retint en sa mémoire les choses dites, que,
pour lors, n'était médecin qui en sut à la moitié
tant comme il faisait[2]. Après, devisaient des
leçons lues au matin, et, parachevant leur repas
90 par quelque confection* de cotoniat**, s'écurait
les dents avec un trou* de lentisque, se lavait
les mains et les yeux de belle eau fraîche et ren-
daient grâces à Dieu par quelques beaux can-
tiques faits à la louange de la munificence et
95 bénignité divine. (8)

Ce fait, on apportait des cartes, non pour
jouer, mais pour y apprendre mille petites gen-
tillesses et inventions nouvelles, lesquelles toutes
issaient* d'arithmétique. En ce moyen entra en
100 affection d'icelle* science numérale, et, tous les

* se rapportant à cela

* ces

* confiture
** coing
* trognon

* provenaient
* cette

---

1. Tous ces auteurs de l'Antiquité ont écrit sur les animaux et sur les plantes. *Pline l'Ancien* (23-79), connu pour son *Histoire naturelle*, est le seul Latin de cette série. Les autres sont grecs : *Athénée* (IIIᵉ s. apr. J.-C.) a réuni dans son *Banquet des sophistes* toutes les connaissances scientifiques de son temps; *Dioscoride* (Iᵉʳ s. apr. J.-C.) et *Galien* (IIᵉ s. apr. J.-C.) sont deux maîtres de la médecine antique; *Julius Pollux* (IIᵉ s. apr. J.-C.) a laissé un *Lexique*; *Porphyre* (IIIᵉ s. apr. J.-C.) a développé dans de nombreux traités le point de vue néo-platonicien; *Oppian* (ou *Oppien*) a écrit au IIᵉ siècle un poème didactique sur la pêche; *Polybe* (200-120 av. J.-C.) est un historien qui a raconté les événements dont il fut contemporain; *Héliodore* (IIIᵉ s. apr. J.-C.) est le romancier de *Théagène et Chariclée*; *Aristotèles* (ou *Aristote*), le grand philosophe athénien (IVᵉ s. av. J.-C.), connu par son savoir universel et admiré des théologiens du Moyen Age, est ici curieusement confondu dans cette longue énumération de talents divers; *Élien* (170-235) a laissé notamment une *Histoire des animaux*; 2. La moitié de ce qu'il savait. Emploi du verbe *faire* pour remplacer le verbe qui le précède.

——— QUESTIONS ———

8. Dans quelle mesure ce moment du repas permet-il à Rabelais de rassembler les aspects essentiels de sa méthode pédagogique et de son idéal d'éducation? — Comment les différentes facultés du jeune élève se trouvent-elles également tenues en éveil? Pourquoi n'y-a-t-il aucun moment de détente ou de récréation dans l'emploi du temps de Gargantua? — D'après les lignes 88-95, montrez le rapport que Rabelais établit entre l'hygiène du corps et l'élévation de l'âme. Comment se confirme la sympathie de l'auteur pour une certaine forme nouvelle de piété?

jours après dîner et souper, y passait temps aussi plaisamment qu'il soulait* és** dés ou ès cartes. A tant* sut d'icelle et théorique et pra-
105 tique, si bien que Tunstal[1], Anglais qui en avait amplement écrit, confessa que vraiment, en comparaison de lui, il n'y entendait que le haut allemand. **(9)**

    Et non seulement d'icelle*, mais des autres sciences mathématiques comme géométrie, astro-
110 nomie et musique; car, attendants la concoction* et digestion de son past*, ils faisaient mille joyeux instruments et figures géométriques, et de même pratiquaient les canons* astronomiques. Après s'ébaudissaient à chanter musicalement
115 à quatre et cinq parties, ou sur un thème, à plaisir de gorge. Au regard des instruments de musique, il apprit jouer du luc*, de l'épinette[2], de la harpe, de la flûte d'allemand[3] et à neuf trous, de la viole[4] et de la sacquebutte[5]. **(10)**

120   Cette heure ainsi employée, la digestion para-chevée, se purgeait des excréments naturels; puis se remettait à son étude principal[6] par trois heures ou davantage, tant à répéter la lecture matutinale* qu'à poursuivre le livre entrepris,
125 qu'aussi à écrire et bien traire* et former les antiques et romaines lettres[7]. **(11)**

*avait l'habi-
tude **aux
*alors

*celle-ci

*digestion
*repas

*lois

*luth

*matinale
*tracer

---

1. *Guthbert Tunstal* (1476-1559) : prélat et homme politique anglais, qui se trouve avoir aussi écrit un traité d'arithmétique; 2. *Epinette* : instrument à clavier et à cordes, ancêtre du clavecin; 3. *Flûte d'allemand* : sorte de flûte traversière inventée en Allemagne; 4. *Viole* : instrument à cordes frottées, d'où viendront violon et violoncelle; 5. *Sacquebutte* : sorte de trombone; 6. *Etude* est masculin dans la langue de Rabelais, par retour à l'étymologie latine, où *studium* est neutre; 7. Caractères italiens, par opposition au « gothique », employé au Moyen Age.

    ━━━━ **QUESTIONS** ━━━━

    9. Comment s'y prend Rabelais pour éveiller la curiosité de son élève? Pourquoi a-t-il tendance à exagérer les conséquences bénéfiques de cette méthode?

    10. Qu'y a-t-il de très médiéval dans tout ce paragraphe, notamment dans l'association des disciplines pratiquées ici?

    11. Est-il fait mention, dans le reste du chapitre, d'autres exercices écrits? Pourquoi?

Ce fait, issaient* hors leur hôtel, avec eux un   * sortaient
jeune gentilhomme de Touraine nommé l'écuyer
Gymnaste[1], lequel lui montrait l'art de cheva-
130 lerie. Changeant donc de vêtements, montait sur
un coursier[2], sur un roussin[3], sur un genet[4], sur
un cheval barbe[5], cheval léger, et lui donnait
cent carrières[6], le faisait voltiger en l'air, fran-
chir le fossé, sauter le palis*, court tourner en   * palissade
135 un cercle, tant à dextre* comme à senestre**. Là   * à droite
rompait, non la lance, car c'est la plus grande   ** à gauche
rêverie du monde dire : « J'ai rompu dix lances
en tournoi ou en bataille », un charpentier le
ferait bien; mais louable gloire est d'une lance
140 avoir rompu dix de ses ennemis. De sa lance
donc, acérée[7], verte[8] et raide, rompait un huis*,   * porte
enfonçait un harnais*, aculait** une arbre, encla-   * armure
vait* un anneau, enlevait une selle d'armes, un   ** abattait
haubert, un gantelet; le tout faisait armé de   * enfilait
145 pied en cap.

Au regard de fanfarer[9] et faire les petits
popismes[10] sur un cheval nul ne fit mieux que
lui. Le voltigeur de Ferrare[11] n'était qu'un singe
en comparaison. Singulièrement était appris à
150 sauter hâtivement d'un cheval sur l'autre sans
prendre terre, — et nommait-on ces chevaux
desultoires[12] —, et de chaque côté, la lance au
poing, monter sans étriers, et sans bride guider
le cheval à son plaisir, car telles choses servent
155 à discipline militaire.

Un autre jour s'exerçait à la hache, laquelle
tant bien coulait[13], tant vertement* de tous pics   * fortement
resserrait[14], tant souplement avalait* en taille   * abaissait
ronde[15], qu'il fut passé chevalier d'armes en
160 campagne et en tous essais.

---

1. *Gymnaste* : nom d'étymologie grecque, à signification expressive, comme Ponocrates, Épistémon, etc.; 2. *Coursier* : cheval de bataille; 3. *Roussin* : cheval de voyage;
4. *Genet* : cheval espagnol, bon coureur; 5. *Cheval barbe* : cheval arabe, de race
berbère; 6. *Carrière* : course qu'un cheval fournit d'une seule haleine, dans la carrière du manège; 7. *Acérée* : à la pointe d'acier; 8. Solide; 9. *Fanfarer* : faire des fanfares, faire marcher le cheval au rythme de la musique (terme de manège); 10. Faire
obéir le cheval aux claquements de langue; 11. Cesare Fieschi, écuyer alors fort
réputé; 12. C'est-à-dire chevaux de voltige; 13. *Couler* : pénétrer en glissant. On
disait aussi : « couler son épée à travers le corps de l'adversaire »; 14. Expression
technique dont nous ne connaissons plus le sens; 15. De façon à donner un coup
de taille circulaire.

Puis branlait* la pique, saquait** de l'épée
à deux mains, de l'épée bâtarde[1], de l'espagnole[2],
de la dague et du poignard, armé, non armé,
au bouclier, à la cape, à la rondelle[3]. Courait
165 le cerf, le chevreuil, l'ours, le daim, le sanglier,
le lièvre, la perdrix, le faisan, l'outarde. Jouait
à la grosse balle et la faisait bondir en l'air,
autant du pied que du poing. Luttait, courait,
sautait, non à trois pas un saut, non à cloche-
170 pied, non au saut d'Allemand, — car (disait
Gymnaste) tels sauts sont inutiles et de nul
bien en guerre —, mais d'un saut perçait* un   * sautait
fossé, volait sur une haie, montait six pas encontre
une muraille et rampait en cette façon à une
175 fenêtre de la hauteur d'une lance.

Nageait en parfonde* eau, à l'endroit, à   * profonde
l'envers, de côté, de tout le corps, des seuls
pieds, une main en l'air en laquelle tenant un
livre transpassait* toute la rivière de Seine sans   * traversait
180 icelui* mouiller, et tirant sur les dents son man-   * celui-ci
teau comme faisait Jules César[4]. Puis d'une
main entrait par grande force en bateau, d'icelui se jetait derechef en l'eau, la tête première,
sondait le parfond*, creusait les rochers, plon-   * fond
185 geait ès* abîmes et gouffres. Puis icelui bateau   * dans les
tournait, gouvernait, menait hâtivement, len-
tement, à fil d'eau, contre cours*, le retenait en   * contre le
pleine écluse, d'une main le guidait, de l'autre   courant
s'escrimait avec un grand aviron, tendant le
190 voile[5], montant au mât par les traits*, courait   * cordes
sur les brancards*, ajustait la boussole, contre-   * vergues
ventait les boulines[6], bandait le gouvernail.

Issant de l'eau, raidement montait encontre
la montaigne et dévalait aussi franchement;
195 gravait* ès arbres comme un chat, sautait de   * grimpait
l'une en l'autre comme un écureuil, abattait les

---

1. Épée longue et fine qui permettait de frapper d'estoc et de taille; 2. *Espagnole :*
rapière; 3. Protégé ou non, soit par un bouclier, soit par son manteau roulé autour
du bras, soit par le petit bouclier appelé rondache, ou *rondelle ;* 4. Jules César, selon
Plutarque, se tira ainsi d'un danger lors de la guerre d'Alexandrie; 5. Au masculin,
par respect de l'étymologie latine *velum.* Le français au Moyen Age utilisait pourtant
déjà le féminin en ce sens; 6. Tendait les cordages qui tiennent la voile de biais quand
on navigue contre le vent.

... autre Milon[1]. Avec
... deux poinçons éprou-
... d'une maison comme un
... du haut* en bas en telle
... es membres que de la chute
... ement grevé*.

    * depuis le haut
    * position
    * atteint

... dard, la barre, la pierre, la javeline,
... , la hallebarde, enfonçait* l'arc, bandait   * tendait
205 ès reins[2] les fortes arbalètes de passe[3], visait
de l'arquebuse à l'œil[4], affûtait[5] le canon, tirait
à la butte, au papegai[6], du bas en mont, d'amont
en val, devant, de côté, en arrière comme les
Parthes[7].

210   On lui attachait un câble en quelque haute
tour, pendant en terre : par icelui* avec deux   * celui-ci
mains montait, puis dévalait si raidement et si
assurément que plus ne pourriez parmi un pré
bien égalé*. On lui mettait une grosse perche   * nivelé
215 appuyée à deux arbres; à icelle se pendait par
les mains, et d'icelle allait et venait, sans des
pieds à rien toucher, qu'à grande course on ne
l'eût pu aconcevoir*.   * atteindre

    Et, pour s'exercer le thorax et poumon, criait
220 comme tous les diables. Je l'ouïs* une fois   * entendis
appelant Eudémon depuis la porte Saint-Victor
jusqu'à Montmartre[8], Stentor[9] n'eut onques*   * jamais
telle voix à la bataille de Troie.

    Et, pour galantir* les nerfs, on lui avait fait   * assouplir
225 deux grosses saumones[10] de plomb, chacune du
poids de huit mille sept cents quintaux, lesquelles
il nommait haltères; icelles prenait de terre en

---

1. *Milon* de Crotone : athlète de l'Antiquité; on lui prêtait de nombreux exploits; ayant voulu fendre avec ses seules forces un tronc d'arbre qui séchait, il eut, dit-on, les mains coincées dans la fente et mourut dévoré par les bêtes sauvages; 2. A la force des reins; 3. Grosses arbalètes de siège que l'on bandait ordinairement avec un treuil; 4. Ordinairement, le poids de l'arquebuse interdisait de l'épauler; on l'appuyait sur une sorte de fourche; 5. Disposait sur un affût; 6. Au perroquet : il s'agit d'oiseaux de bois ou de carton sur lesquels les tireurs s'exerçaient; 7. Les Parthes avaient, dans l'Antiquité, la réputation d'être des archers émérites. Tout en s'enfuyant, ils tiraient en arrière sur leurs poursuivants; 8. Deux points situés aux extrémités du Paris d'alors : la *porte Saint-Victor*, au sud-est, à la sortie du Quartier latin; et *Montmartre*, au nord-ouest; 9. *Stentor* : guerrier grec cité dans *l'Iliade*, célèbre par la puissance de sa voix; 10. On nomme encore aujourd'hui *saumon* une masse de plomb telle qu'elle est sortie de la fonte.

chacune main et les élevait en l'air au-dessus
de la tête, et les tenait ainsi, sans soi remuer,
230 trois quarts d'heure et davantage, qu'était une
force inimitable.

   Jouait aux barres avec les plus forts, et, quand
le point advenait, se tenait sur ses pieds tant
roidement qu'il s'abandonnait ès plus aventu-
235 reux en cas qu'ils le fissent mouvoir de sa place,
comme jadis faisait Milon[1], à l'imitation duquel
aussi tenait une pomme de grenade en sa main
et la donnait à qui lui pourrait ôter. **(12)**

   Le temps ainsi employé, lui frotté, nettoyé et
240 rafraîchi d'habillements[2], tout doucement retournait, et, passants par quelques prés, ou autres
lieux herbus, visitaient les arbres et plantes, les
conférants* avec les livres des anciens qui en   * comparant
ont écrit, comme Théophraste, Dioscorides,
245 Marinus, Pline, Nicander, Macer et Galien[3],
et en emportaient leurs pleines mains au logis,
desquelles avait la charge un jeune page nommé
Rhizotome[4], ensemble* des marrochons[5], des   * avec
pioches, serfouettes[6], bêches, tranches* et autres   * tranchoirs
250 instruments requis à bien arboriser*.   * herboriser

   Eux arrivés au logis, cependant qu'on apprêtait le souper, répétaient quelques passages de

---

   1. *Milon :* voir page 56, note 1; 2. Revêtu de vêtements frais, ayant changé d'habits;
3. *Pline, Dioscoride* et *Galien* ont déjà été cités au même chapitre, lignes 81-82; *Théophraste,* successeur d'Aristote, est l'auteur non seulement des *Caractères,* mais aussi
des *Recherches sur les plantes* (neuf livres) et des *Causes des plantes* (six livres);
Nicander (ou *Nicandre*) est un poète grec (IIe s. av. J.-C.), auteur d'ouvrages didac-
tiques; *Aemilius Macer* (70-16 av. J.-C.), poète latin, a écrit lui aussi des œuvres sur
les plantes et les animaux; *Marinus* est le nom latinisé d'un Italien contemporain
de Rabelais; 4. *Rhizotome :* qui coupe les racines (mot grec); 5. *Marrochon :* petite
houe; 6. *Serfouette :* outil qui sert à labourer légèrement le sol.

────── **QUESTIONS** ──────

   12. Le souci de l'hygiène et de l'équilibre suffit-il à justifier la place
considérable prévue pour les sports et les exercices physiques? — Quelle
sera la fonction de l'homme qu'il s'agit ici de former? Connaissez-vous
des exemples de rois athlètes contemporains de Rabelais? — Y-a-t-il
dans ce vaste programme des éléments aussi originaux que dans les acti-
vités intellectuelles pratiquées par Gargantua? — L'intérêt documentaire
de ces pages.

ce qu'avait été lu et s'asseyaient à table. Notez
ici que son dîner était sobre et frugal, car tant
255 seulement mangeait pour refréner les abois de
l'estomac; mais le souper était copieux et large,
car tant en prenait que lui était de besoin à soi
entretenir et nourrir, ce qu'est la vraie diète*   * régime
prescrite par l'art de bonne et sûre médecine,
260 quoiqu'un tas de badauds médecins, herselés
en l'officine* des Arabes[1], conseillent le contraire.   * école

   Durant icelui* repas était continuée la leçon   * ce
du dîner tant que bon semblait : le reste était
consommé* en bons propos, tous lettrés et   * utilisé
265 utiles. Après grâces rendues[2], s'adonnaient à
chanter musicalement, à jouer d'instruments
harmonieux, ou de ces petits passe-temps qu'on
fait ès* cartes, ès dés et gobelets[3], et là demeu-   * aux
raient faisant grand'chère, et s'ébaudissants
270 aucunes fois jusques à l'heure de dormir;
quelque fois allaient visiter les compagnies de
gens lettrés, ou de gens qui eussent vu pays
étranges*.   * étrangers

   En pleine nuit, devant que soi retirer, allaient
275 au lieu de leur logis le plus découvert voir la
face du ciel, et là notaient les comètes, si aucunes
étaient[4], les figures, situations, aspects[5], oppo-
sitions et conjonctions des astres. **(13)**

   Puis, avec son précepteur, récapitulait briè-
280 vement, à la mode des Pythagoriques[6], tout ce
qu'il avait lu, vu, su, fait et entendu au décours*   * cours
de toute la journée.

---

1. Rompus à la dispute, à l'école des Arabes. Dans les dernières éditions, les
Arabes sont devenus des *sophistes*. Les médecins arabes représentent pour les humanistes les traditions routinières du Moyen Age; 2. *Action de grâces :* prière de remer-
ciements qui clôt le repas; 3. Probablement les cornets qui servent à jeter les dés.
« Jouer aux gobelets » consistait à faire des tours de prestidigitation; 4. S'il y en
avait quelques-unes; 5. *Aspects :* position de deux astres l'un par rapport à l'autre;
6. D'après Cicéron (*De senectute*, XI, 38).

--- **QUESTIONS** ---

13. Redites et répétitions dans ce chapitre : est-ce négligence de la
part de l'auteur?

Si* priaient Dieu le créateur, en l'adorant et
ratifiant* leur foi envers lui, et le glorifiant de
285 sa bonté immense, et, lui rendants grâce de tout
le temps passé, se recommandaient à sa divine
clémence pour tout l'avenir.

* Ainsi
* confirmant

Ce fait entraient en leur repos. **(14) (15)**

CHAPITRE XXIV

[Quand le temps est pluvieux, les exercices de plein air sont rem-
placés par des travaux et des jeux à l'intérieur de la maison : on
fend du bois, on met du foin en botte. La visite des ateliers et des
boutiques permet de s'initier à la technique des différents métiers :
on complète chez les droguistes et les apothicaires les leçons d'histoire naturelle qu'on a déjà apprises en herborisant, et on trouve
chez les avocats, les prédicateurs et les professeurs l'application de
l'art de parler et de discuter, qu'on a appris dans les livres. La nourriture, ces jours-là, est plus légère, puisque l'effort physique a été
moindre.

Une telle éducation est acceptée bientôt avec plaisir par Gargantua.
Mais son maître Ponocrates lui réserve quelques récréations : une fois
par mois, s'il fait beau, on va à « Gentilly ou à Boulogne ou à
Montrouge ou au pont de Charenton ou à Vanves ou à Saint-Cloud ».
Mais cette journée, consacrée à la bonne chère et à la beuverie, n'est
pas sans profit intellectuel : on récite des textes de Virgile et d'Hésiode
sur la vie rustique, et on les traduit en français.]

──────── **QUESTIONS** ────────

14. Les deux dernières occupations de la journée : sur quels aspects
de l'éducation insistent-elles une dernière fois? Leur valeur symbolique :
n'y a-t-il pas une conciliation entre deux héritages spirituels?

15. Sur l'ensemble du chapitre xxiii. — La composition de ce chapitre : comment met-elle en évidence, non sans quelque insistance, l'intention dominante de ce système pédagogique?
— Méthodes, contenu et intention de ce mode d'éducation. N'y a-t-il
pas de lacunes surprenantes, à vos yeux, dans ce programme? Dites
lesquelles; essayez de les expliquer.
— Dans le plan d'études que dresse Rabelais, que doit-il à son temps
et qu'est-ce qui lui est personnel?
— Comparez ce chapitre au chapitre viii de *Pantagruel* (« Nouveaux
Classiques Larousse », p. 74). Quels rapports y a-t-il entre ces deux
textes? Étudiez en particulier le passage de ce chapitre de *Pantagruel*
où Gargantua parle de sa propre éducation (lignes 80-97) : retrouve-t-on
ici l'illustration de ce que Gargantua écrivait à son fils?
— Quelles critiques ont été, dès la fin du xvie siècle, adressées aux
idées pédagogiques de Rabelais? Sont-elles toutes justifiées?

CHAPITRE XXV

COMMENT FUT MU ENTRE LES FOUACIERS DE LERNÉ ET CEUX DU PAYS DE GARGANTUA LE GRAND DÉBAT DONT FURENT FAITES GROSSES GUERRES

En cetui temps, qui fut la saison de vendanges au commencement d'automne, les bergers de la contrée étaient à garder les vignes, et empêcher que les étourneaux ne mangeassent les raisins.
5 Onquel* temps, les fouaciers[1] de Lerné[2] pas-   * Auquel
saient le grand carroi*, menant dix ou douze   * chemin
charges de fouaces à la ville. Les dits bergers
les requirent courtoisement leur en bailler* pour   * donner
leur argent, au prix du marché. Car notez que
10 c'est viande* céleste manger à déjeuner raisins   * nourriture
avec fouace fraîche, mêmement* des pineaux[3],   * notamment
des fiers, des muscadeaux, de la bicane, et des
foirards pour ceux qui sont constipés du ventre,
car ils les font aller long comme une vouge* et   * pique
15 souvent, cuidant* péter, ils se conchient, dont**   * pensant ** d'où
sont nommés les cuideurs des vendanges[4]. (1)

A leur requête ne furent aucunement enclinés*   * enclins
les fouaciers, mais, que pis est, les outragèrent
grandement, les appelants trop d'iteux[5], brèche-
20 dents, plaisants rousseaux*, galliers**, chienlits,   * rouquins ** débauchés
averlans, limes sourdes*, fainéants, friandeaux,   * sournois
bustarins*, talvassiers**, riennevaux, rustres,   * bedonnants ** fanfarons
chalands, hapelopins*, traine-gaines, gentils   * parasites

---

1. *Fouacier* : marchand de fouace, sorte de galette au beurre et aux œufs; 2. *Lerné* : localité proche de Chinon, dont le père de Rabelais était sénéchal. Voir carte, page 65; 3. Ce mot, comme les suivants, désigne des variétés de plants de vigne, suivant leurs dénominations courantes chez les vignerons du pays; 4. Expression traditionnelle, de signification obscure; Rabelais semble en ignorer lui-même le sens et l'origine; 5. Gens comme il y en a trop.

--- QUESTIONS ---

1. Quels avantages le conteur tire-t-il des détails de la vie paysanne dans une région qu'il connaît parfaitement? Définissez le genre de récit dans lequel on a l'impression de pénétrer. — Comment Rabelais sait-il dès l'abord concilier la faveur du lecteur aux bergers?

floquets, copieux, landores*, malotrus, dendins**,   * flemmards
25 beaugears*, tésés**, gaubregeux, goguelus, cla-   ** nigauds
quedents, boyers* d'étrons, bergers de merde,   * dadais ** niais
et autres telles épithètes diffamatoires, ajoutants   * bouviers
que point à eux n'appartenait manger de ces
belles fouaces, mais qu'ils se devaient contenter
30 de gros pain ballé[1] et de tourte[2]. (2)

Auquel outrage un d'entre eux, nommé Frogier, bien honnête homme de sa personne et
notable bachelier*, répondit doucement :   * jeune homme
« Depuis quand avez-vous pris cornes[3] qu'êtes
35 tant rogues* devenus ? Dea**, vous nous en   * arrogants
souliez* volontiers bailler et maintenant y refu-   ** vraiment
sez. Ce n'est fait de bons voisins, et ainsi ne   * aviez coutume
vous faisons, nous, quand venez ici acheter
notre beau froment, duquel vous faites vos
40 gâteaux et fouaces. Encore par* le marché vous   * suivant
eussions-nous donné de nos raisins ; mais, par
la mer Dé[4] vous en pourriez repentir, et aurez
quelque jour affaire de nous. Lors nous ferons
envers vous à la pareille, et vous en souvienne. »

45 Adonc Marquet, grand bâtonnier[5] de la confrérie des fouaciers, lui dit : « Vraiment, tu es bien
acrêté* à ce matin ; tu mangeas hier soir trop   * effronté
de mil[6]. Viens ça, viens ça, je te donnerai de
ma fouace. » Lors Frogier en toute simplesse*   * simplicité
50 approcha, tirant un onzain[7] de son baudrier*,   * ceinture de cuir
pensant que Marquet lui dût dépocher[8] de ses
fouaces, mais il lui bailla de son fouet à travers
les jambes si rudement que les nœuds y appa-
raissaient ; puis voulut gagner à la fuite*. Mais   * se sauver

---

1. Pain de qualité inférieure, fait avec de la farine contenant encore de la balle ;
2. *Tourte :* grand pain de forme circulaire ; 3. Depuis quand, de veaux que vous étiez,
êtes-vous devenus des taureaux ? 4. Par la mère de Dieu ; 5. *Bâtonnier :* celui qui
portait aux processions le bâton d'une confrérie ; sur le bâton était taillée l'effigie
du saint, patron de la confrérie ; 6. Les coqs qui avaient mangé du millet devenaient
combatifs ; 7. *Onzain :* pièce de onze deniers ; 8. Sortir du sac.

——— **QUESTIONS** ———

2. Le procédé de style employé aux lignes 19-26 est-il fréquent chez
Rabelais ? Donnez d'autres exemples. A quel genre d'expression littéraire ce procédé se rattache-t-il ? — Quel est le trait de caractère dominant des fouaciers ?

55 Frogier s'écria au meurtre et à la force tant qu'il put, ensemble* lui jeta un gros tribard** qu'il portait sous son aisselle, et l'atteignit par la jointure coronale de la tête[1], sur l'artère crotaphique[2], du côté dextre*, en telle sorte que
60 Marquet tomba de sa jument; mieux* semblait homme mort que vif. **(3)**

    * en même temps
    ** bâton

    * droit

    * plus

    Cependant les métayers, qui là auprès challaient* les noix, accoururent avec leurs grandes gaules, et frappèrent sur ces fouaciers comme
65 sur seigle vert. Les autres bergers et bergères, oyants* le cri de Frogier, y vinrent avec leurs fondes* et brassiers**, et les suivirent à grands coups de pierres, tant menus qu'il semblait que ce fût grêle. Finalement, les aconçurent* et
70 ôtèrent de leurs fouaces environ quatre ou cinq douzaines, toutefois ils les payèrent au prix accoutumé, et leur donnèrent un cent de quecas* et trois panerées de francs-aubiers[3]. Puis les fouaciers aidèrent à monter Marquet, qui
75 était vilainement blessé, et retournèrent à Lerné sans poursuivre le chemin de Parillé, menaçants fort et ferme les bouviers, bergers et métayers de Seuillé et de Sinais. **(4)**

    * écalaient

    * entendant

    * frondes
    ** triques

    * atteignirent

    * noix

---

1. La suture fronto-pariétale; 2. L'artère temporale; 3. Sorte de raisins blancs.

--------- **QUESTIONS** ---------

    3. Comment le récit, sans cesser de rester au niveau du réalisme villageois, se charge-t-il en même temps d'une signification plus large? — Le rôle de Frogier et de Marquet : dans quelle mesure leur dialogue (lignes 34-39) rappelle-t-il certain moment traditionnel qui précède les luttes épiques? Comment la parodie d'épopée s'accentue-t-elle par la suite, notamment dans la précision médicale relative à la blessure de Marquet (ligne 58)? — Le discours de Frogier (lignes 34-44) : est-ce seulement bon sens paysan? Quelle vérité d'une portée générale se trouve rappelée ici? D'autre part, l'attitude de Marquet n'est-elle pas à l'image de la politique de certaines nations?

    4. Montrez comment l'incident a vite fait de s'amplifier. La « victoire » des bergers : est-il vraisemblable que, après avoir rossé les fouaciers, les bergers leur achètent leur fouace? Distinguez la part de la vérité psychologique et celle de l'intention morale. Montrez que les fouaciers ont mis tous les torts de leur côté.

Ce fait, et bergers et bergères firent chère lie*
80 avec ces fouaces et beaux raisins, et se rigolèrent*
ensemble au son de la belle bousine*, se moquants
de ces beaux fouaciers glorieux, qui avaient
trouvé malencontre* par faute de s'être signés
de la bonne main au matin[1]. Et avec gros
85 raisins chenins[2] étuvèrent* les jambes de Frogier mignonnement, si bien qu'il fut tantôt
guéri. **(5) (6)**

* bombance
* réjouirent
* cornemuse
* malchance
* baignèrent

CHAPITRE XXVI

COMMENT LES GENS DE LERNÉ,
PAR LE COMMANDEMENT DE PICROCHOLE,
LEUR ROI, ASSAILLIRENT AU DÉPOURVU
LES BERGERS DE GARGANTUA

Les fouaciers, retournés à Lerné, soudain,
devant* boire ni manger, se transportèrent au
Capitoly[3], et là, devant leur roi nommé Picrochole[4], tiers de ce nom, proposèrent leur
5 complainte*, montrant leurs paniers rompus,
leurs bonnets foupis*, leurs robes déchirées,
leurs fouaces détroussées, et singulièrement Marquet blessé énormément, disants le tout avoir

* avant de
* plainte
* chiffonnés

---

1. Ils avaient fait le signe de croix de la main gauche; 2. Variété de gros raisins qui passaient pour plaire aux chiens; 3. Ce *Capitole* de Picrochole, c'est son château de Lerné; 4. *Picrochole* : nom forgé sur des racines grecques et signifiant « d'humeur acerbe », « hargneux ».

--- **QUESTIONS** ---

5. A quoi s'oppose cette peinture de la paix pastorale? N'a-t-on pas l'impression que l'incident se termine heureusement?

6. SUR L'ENSEMBLE DU CHAPITRE XXV. — Quel genre d'épisode inévitable dans un roman héroïque ou dans sa parodie a ici son point de départ? Comparez avec les chapitres XXIII et suivants de *Pantagruel*.

— En utilisant le cadre réaliste d'une querelle de paysans, de préférence à des personnages et à des pays imaginaires (voir *Pantagruel*), Rabelais ne réduit-il pas la portée de sa démonstration? Montrez comment la querelle des fouaciers et des bergers prend une valeur d'apologue et évoque un incident de frontière entre nations.

— Quelle est, dès ce premier moment, la morale que Rabelais propose?

été fait par les bergers et métayers de Grandgou-
10 sier, près le grand carroi par-delà Seuillé. (1)

Lequel incontinent* entra en courroux furieux,
et sans plus outre s'interroger quoi ne comment,
fit crier par son pays ban et arrière-ban[1], et
qu'un chacun, sous peine de la hart*, convînt**
15 en armes en la grand-place devant le château, à
heure de midi.

Pour mieux confirmer* son entreprise, envoya
sonner le tambourin* à l'entour de la ville.
Lui-même, cependant qu'on apprêtait son dîner,
20 alla faire affûter* son artillerie, déployer son
enseigne et oriflant*, et charger force munitions,
tant de harnais d'armes que de gueules. (2)

En dînant bailla les commissions[2], et fut par
son édit constitué le seigneur Trepelu sur l'avant-
25 garde, en laquelle furent comptés seize mille
quatorze hacquebutiers*, trente cinq mille et
onze aventuriers*. A l'artillerie fut commis le
Grand Ecuyer Touquedillon[3], en laquelle furent
comptées neuf cent quatorze grosses pièces de
30 bronze, en canons, doubles canons, basilics,
serpentines, couleuvrines, bombardes, faucons,
passevolants, spiroles et autres pièces[4]. L'arrière-
garde fut baillée au duc Racquedenare[5], en la
bataille[6] se tint le roi et les princes de son
35 royaume. (3)

* immédiatement

* corde
** se rendît

* assurer
* tambour

* mettre sur affût
* oriflamme

* arquebusiers
* volontaires
sans solde

1. Fit lancer l'appel aux armes des vassaux (le *ban*) et des arrière-vassaux (l'*arrière-ban*) : formule traditionnelle aux temps de la féodalité; 2. Les lettres de *commissions*, qui confient le commandement aux officiers; 3. *Touquedillon* : signifie « fanfaron » en langue d'oc; 4. Tous ces termes énumèrent par ordre de puissance décroissante les types d'engins d'artillerie alors en service dans les armées européennes; 5. C'est-à-dire Racle Denier; 6. *Bataille* : gros de l'armée.

──────── ■ QUESTIONS ────────

1. Pouvait-on s'attendre à une telle démarche de la part des fouaciers? Qu'y a-t-il de tendancieux et même de mensonger dans leur rapport? Quels détails lui donnent cependant vraisemblance?

2. Comment Rabelais met-il en évidence l'impardonnable erreur de Picrochole? — Le roi est-il aussi irréfléchi quand il procède à la mobili-sation qu'au moment où il a décidé la guerre? Qu'en conclure sur sa responsabilité?

3. Dans quel genre d'ouvrages ce dénombrement des forces est-il traditionnel? — Une armée moderne au temps de Rabelais : quelle intention la longue énumération des engins d'artillerie révèle-t-elle? En quoi ces détails donnent-ils indirectement des indications sur la poli-tique de Picrochole?

Phot. Atlas-Photo.

Chinon et la vallée de la Vienne.
La région de Chinon. Principales localités citées par Rabelais.

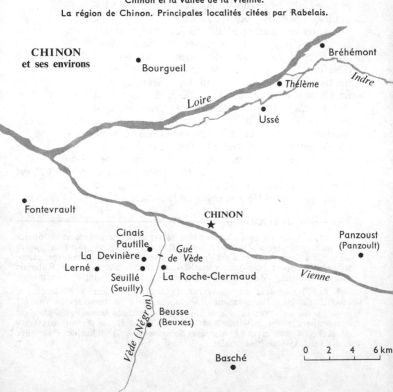

CHINON
et ses environs

Ainsi sommairement* accoutrés, devant que se mettre en voie*, envoyèrent trois cents chevau-légers, sous la conduite du capitaine Engoule-vent, pour découvrir le pays et savoir si embûche
40 aucune était par la contrée; mais après avoir diligemment recherché, trouvèrent tout le pays à l'environ en paix et silence, sans assemblée quelconque. Ce qu'entendant, Picrochole com-manda qu'un chacun marchât sous son enseigne
45 hâtivement.

A donc sans ordre et mesure prirent les champs les uns parmi les autres, gâtants et dissipants tout par où ils passaient, sans épargner ni pauvre, ni riche, ni bien sacré, ni profane;
50 emmenaient bœufs, vaches, taureaux, veaux, génisses, brebis, moutons, chèvres et boucs, poules, chapons, poulets, oisons, jards, oies, porcs, truies, gorets; abattants les noix, vendan-geants les vignes, emportants les ceps, crou-
55 lants* tous les fruits des arbres. C'était un désordre incomparable de ce qu'ils faisaient et ne trouvèrent personne qui leur résistât; mais un chacun se mettait à leur merci, les suppliant être traités plus humainement, en considération
60 de ce qu'ils avaient de tout temps été bons et aimables voisins, et que jamais envers eux ne commirent excès ni outrage pour aussi soudai-nement être par iceux mal vexés*, et que Dieu les en punirait de bref*. Ès** quelles remon-
65 trances rien plus ne répondaient, sinon qu'ils leur voulaient apprendre à manger de la fouace. (4) (5)

* promptement
* route

* faisant tomber

* maltraités
* bientôt ** aux

──────── **QUESTIONS** ────────

4. Quel contraste entre la prudente tactique de Picrochole et les objec-tifs qu'il poursuit au moment de l'attaque? Est-ce vraiment la guerre qu'il fait à Gargantua et à ses sujets? — Les horreurs de la guerre : est-ce tellement l'aspect tragique et pathétique de ces horreurs que Rabelais met en évidence? Montrez qu'il se place surtout du point de vue moral.

5. SUR L'ENSEMBLE DU CHAPITRE XXVI. — Comment se déclenche le conflit? En quoi l'analyse de Rabelais garde-t-elle toujours sa valeur?
— La présentation de Picrochole : ses décisions sont-elles seulement consécutives à son caractère? Montrez qu'il représente surtout aux yeux de Rabelais une certaine manière de concevoir la politique extérieure et les relations internationales.

CHAPITRE XXVII

COMMENT UN MOINE DE SEUILLÉ
SAUVA LE CLOS DE L'ABBAYE
DU SAC DES ENNEMIS

Tant firent et tracassèrent*, pillant et larron-
nant, qu'ils arrivèrent à Seuillé, et détroussèrent
hommes et femmes, et prirent ce qu'ils purent :
rien ne leur fut ni trop chaud ni trop pesant.
5 Combien que* la peste y fût par la plus grande
part des maisons, ils entraient partout, ravis-
saient tout ce qu'était dedans, et jamais nul
n'en prit danger, qui est cas assez merveilleux :
car les curés, vicaires, prêcheurs, médecins, chi-
10 rurgiens et apothicaires, qui allaient visiter, pan-
ser, guérir, prêcher et admonester les malades,
étaient tous morts de l'infection, et ces diables
pilleurs et meurtriers onques n'y prirent mal.
Dont* vient cela, messieurs? Pensez-y, je vous
15 prie. (1)

Le bourg ainsi pillé, se transportèrent en
l'abbaye avec horrible tumulte, mais la trouvèrent bien resserrée* et fermée, dont** l'armée
principale marcha outre vers le gué de Vède,
20 exceptés sept enseignes* de gens de pied** et
deux cents lances[1] qui là restèrent et rompirent
les murailles du clos afin de gâter toute la vendange.

Les pauvres diables de moines ne savaient
25 auquel de leurs saints se vouer. A toutes aventures firent sonner *ad capitulum capitulantes*[2].
Là fut décrété qu'ils feraient une belle procession, renforcée de beaux préchants[3] et litanies

*se démenèrent

*bien que

*D'où

*verrouillée
**aussi

*compagnies
**fantassins

---

1. Une *lance* comprenait le chevalier avec sa lance, ses pages et ses écuyers; **2.** Appel convoquant au chapitre du couvent ceux qui ont droit d'y siéger; **3.** Chants ou psaumes récités par le préchantre, ou premier chantre d'une église.

———— QUESTIONS ————

1. Pourquoi Rabelais pose-t-il cette question et quelle réponse y donneriez-vous?

contra hostium insidias[1] et beaux répons *pro*
30 *pace*[2]. **(2)**

En l'abbaye était pour lors un moine claus-
trier* nommé frère Jean des Entommeures[3],   * cloîtré
jeune, galant*, frisque**, de hait[4], bien à   * gaillard
                                                ** pimpant
dextre*, hardi, aventureux, délibéré, haut, maigre,   * adroit
35 bien fendu de gueule[5], bien avantagé en nez,
beau dépêcheur d'heures[6], beau débrideur[7] de
messes, beau décrotteur de vigiles[8], pour tout
dire sommairement un vrai moine si onques*   * jamais
en fut depuis que le monde moinant moina de
40 moinerie[9], au reste clerc jusques ès* dents[10] en   * aux
matière de bréviaire. **(3)**

Icelui*, entendant le bruit que faisaient les   * celui-ci
ennemis par le clos de leur vigne, sortit hors
pour voir ce qu'ils faisaient, et avisant qu'ils
45 vendangeaient leur clos auquel était leur boite*   * boisson
de tout l'an fondée, retourne au chœur de l'église
où étaient les autres moines, tous étonnés
comme fondeurs de cloches[11], lesquels voyant
chanter *ini, nim, pe, ne, ne, ne, ne, ne, ne, tum,*
50 *ne, num, num, ini, i, mi, i, mi, co, o, ne, no, o, o,*
ne, no, no, no, no, no, rum, ne, num, num[12] :
« C'est, dit-il, bien chien chanté. Vertus Dieu!
que ne chantez-vous :

    Adieu paniers, vendanges sont faites?

55 Je me donne au diable s'ils ne sont en notre
clos, et tant bien coupent et ceps et raisins qu'il
n'y aura, par le corps Dieu! de quatre années

---

1. Contre les embuscades des ennemis; 2. Pour la paix; 3. *Entommeures* signifie
« hachis »; 4. De bonne humeur; 5. Braillard; 6. Expédiant à la hâte ses heures,
c'est-à-dire les offices du bréviaire; 7. Disant rondement sa messe; 8. Se débarrassant
en un clin d'œil des vigiles; 9. Depuis que le monde des moines mena la vie des
moines; 10. Par analogie avec l'expression « armé jusqu'aux dents »; 11. Expression
proverbiale pour laquelle on n'a pas d'explication satisfaisante; 12. *Impetum inimi-
corum* (l'élan des ennemis), modulé dans le plain-chant.

━━━ QUESTIONS ━━━

2. Dans l'attitude des moines, qu'y a-t-il d'inadapté à la situation,
et donc de risible? Convient-il d'en rire seulement?

3. D'où provient le comique de cette présentation de frère Jean?
S'attendait-on, après le portrait du personnage, à ce qu'on nous le défi-
nisse comme un *vrai moine?* L'importance du dernier détail relatif à
frère Jean (ligne 40).

que halleboter* dedans. Ventre saint Jacques!   * grappiller
que boirons-nous cependant, nous autres pauvres
60 diables? Seigneur Dieu, *da mihi potum*[1]! »
    Lors dit le prieur claustral : « Que fera cet
ivrogne ici? Qu'on me le mène en prison. Trou-
bler ainsi le service divin!
    — Mais, dit le moine, le service du vin, fai-
65 sons tant qu'il ne soit troublé, car vous-même,
monsieur le prieur, aimez boire du meilleur : si
fait tout homme de bien. Jamais homme noble
ne hait le bon vin : c'est un apophtegme* mona-   * précepte
cal. Mais ces répons que chantez ici ne sont,
70 par Dieu! point de saison.
    « Pourquoi sont nos heures en temps de mois-
son et vendanges courtes; en l'avent[2] et tout
hiver longues[3]? Feu de bonne mémoire Frère
Macé Pelosse, vrai zélateur (ou je me donne au
75 diable) de notre religion, me dit, il m'en souvient, que la raison était afin qu'en cette saison
nous fassions bien serrer* et faire le vin, et   * rentrer
qu'en hiver nous le humions*.   * buvions
    « Écoutez, Messieurs, vous autres qui aimez
80 le vin : le corps Dieu, si me suivez*! Car, hardi- * alors suivez-
ment, que saint Antoine m'arde[4], si ceux tâtent   moi
du piot* qui n'auront secouru la vigne! Ventre   * vin
Dieu, les biens de l'Église! Ha, non, non,
diable! Saint Thomas l'Anglais[5] voulut bien
85 pour iceux* mourir : si j'y mourais, ne serais-je   * ceux-ci
saint de même? Je n'y mourrai jà* pourtant,   * jamais
car c'est moi qui le fais aux autres[6]. » (4)

----

1. Donne-moi à boire; 2. *Avent* : période de l'année liturgique qui précède Noël;
3. La durée des offices et des heures du bréviaire varie selon les moments de l'année
liturgique; 4. Que je sois atteint de la maladie nommée « feu de saint Antoine » (mal
des ardents ou ergotisme); 5. Saint Thomas Becket, archevêque de Cantorbéry (1117-
1170); il avait excommunié le roi Henri II, qui voulait limiter les prérogatives du
clergé : le roi le fit assassiner; 6. Car c'est moi qui fais mourir les autres.

──────── **QUESTIONS** ────────

4. Qu'y a-t-il de comique dans l'altercation entre frère Jean et son
prieur? Auquel des deux Rabelais donne-t-il raison? — Pourquoi y a-t-il
plus de vérité et de franchise dans l'argumentation du moine que dans
celle du prieur? — Le thème bachique : quelle saveur particulière prend-il
ici? Rabelais se contente-t-il de reprendre à son compte les gauloiseries
médiévales sur l'ivrognerie des moines?

Ce disant, mit bas son grand habit et se saisit
du bâton de la croix qui était de cœur de cor-
90 mier, long comme une lance, rond à plein poing,
et quelque peu semé de fleurs de lys, toutes
presque effacées. Ainsi sortit en beau sayon*,   * casaque
mit son froc en écharpe, et de son bâton de la
croix donna si brusquement sur les ennemis qui,
95 sans ordre ni enseigne*, ni trompette, ni tam-   * drapeau
bourin, parmi le clos vendangeaient — car les
porte-guidons et porte-enseignes avaient mis
leurs guidons* et enseignes l'orée** des murs,   * bannières
                                                   ** le long
les tambourineurs avaient défoncé leurs tam-
100 bourins d'un côté pour les emplir de raisins,
les trompettes étaient chargées de moussines[1],
chacun était dérayé* — il choqua donc si rai-   * débandé
dement sur eux, sans dire gare, qu'il les renver-
sait comme porcs, frappant à tort et à travers,
105 à la vieille escrime[2]. (5)

Ès* uns escarbouillait la cervelle, ès autres   * aux
rompait bras et jambes, ès autres délochait* les   * démettait
spondyles* du col, ès autres démoulait** les   * vertèbres
                                                    ** défonçait
reins, avalait* le nez, pochait les yeux, fendait * faisait
110 les mandibules, enfonçait les dents en la gueule,   descendre
décroulait* les omoplates, sphacelait** les   * défonçait
                                                    ** gangrenait
grèves*, dégondait les ischies[3], débezillait** les * jambes
faucilles[4]. (6)   ** mettait en
                                                       pièces

Si quelqu'un se voulait cacher entre les ceps
115 plus épais, à icelui froissait* toute l'arête du dos * brisait
et l'éreinait* comme un chien.   * éreintait

Si aucun sauver se voulait en fuyant, à icelui
faisait voler la tête en pièces par la commissure

---

1. *Moussine* : branche de vigne chargée de feuilles et de raisins; **2.** C'est-à-dire l'escrime française, d'une technique moins savante que l'escrime italienne; **3.** Déboîtait les hanches; **4.** *Faucilles* : os de l'avant-bras (radius et cubitus).

─────── ■ QUESTIONS ───────

5. Pourquoi Rabelais fait-il combattre le moine avec un bâton de croix? Quels avantages le moine a-t-il sur ses adversaires? A quels détails reconnaît-on que c'est davantage l'énergie morale de frère Jean que sa science du combat qui lui donne le succès?

6. Quel est l'effet de ce vocabulaire pseudo-médical? Rapprochez ces détails du procédé déjà employé au chapitre xxv (lignes 106-114).

lambdoïde[1]. Si quelqu'un gravait* en un arbre,   * grimpait
120 pensant y être en sûreté, icelui de son bâton
empalait par le fondement.

Si quelqu'un de sa vieille connaissance lui
criait : « Ha! frère Jean, mon ami, frère Jean,
je me rends!

125 — Il t'est, disait-il, bien force; mais ensemble*   * en même temps
tu rendras l'âme à tous les diables. » Et soudain
lui donnait dronos*. (7)   * coups (*dialecte toulousain*)

Et, si personne tant fut épris de témérité qu'il
lui voulut résister en face, là montrait-il la force
130 de ses muscles, car il leur transperçait la poitrine
par le médiastin[2] et par le cœur. A d'autres
donnant sur la faute des côtes, leur subvertissait*   * retournait
l'estomac, et mouraient soudainement. Ès autres*   * Aux autres
tant fièrement* frappait par le nombril qu'il leur   * sauvagement
135 faisait sortir les tripes. [...] Croyez que c'était le
plus horrible spectacle qu'on vit onques*.   * jamais

Les uns criaient : Sainte Barbe[3]! les autres :
Saint Georges[4]! les autres : Sainte Nytouche[5]!
les autres : Notre Dame de Cunault! de Laurette!
140 de Bonnes Nouvelles! de la Lenou! de Rivière[6]!
les uns se vouaient à saint Jacques[7]; les autres
au saint suaire de Chambéry, mais il brûla
trois mois après, si bien qu'on en put sauver un
seul brin[8]; les autres à Cadouin[9]; les autres à
145 saint Jean d'Angély; les autres à saint Eutrope
de Saintes, à saint Mesmes de Chinon, à saint
Martin de Candes, à saint Clouaud de Sinays,

---

1. La suture occipito-pariétale du crâne qui a la forme d'un lambda; 2. *Médiastin :* région médiane du thorax; 3. Patronne des artilleurs; 4. Patron des cavaliers; 5. Sainte imaginaire, mais proverbiale; 6. Il s'agit de toute une série de lieux de pèlerinage situés en France : parmi eux, Notre-Dame de Cunault se trouvait près de Saumur, et Notre-Dame-de-Rivière près de Chinon; 7. Sans doute *saint Jacques* de Compostelle (en Espagne), invoqué dans le plus fameux des pèlerinages médiévaux; 8. On montrait à Chambéry le linceul dans lequel, suivant la tradition, Jésus aurait été enveloppé après sa mort. Le reliquaire du saint suaire brûla le 4 décembre 1532, mais la relique elle-même fut, paraît-il, préservée; 9. Dans cette abbaye (aujourd'hui en Dordogne) qui appartenait à Geoffroy d'Estissac, le protecteur de Rabelais, se trouvait un autre saint suaire.

QUESTIONS

7. Pourquoi frère Jean n'a-t-il pas de pitié? La joie de frère Jean à massacrer les ennemis est-elle en opposition avec la bonté scrupuleuse de Grandgousier et l'humanité de Rabelais?

ès* reliques de Javrezay[1] et mille autres bons * aux
petits saints. (8)

150 Les uns mouraient sans parler, les autres parlaient sans mourir, les uns mouraient en parlant, les autres parlaient en mourant. Les autres
criaient à haute voix : « Confession! confession!
Confiteor, miserere, in manus[2]. » (9)

155 Tant fut grand le cri des navrés*, que le prieur * blessés
de l'abbaye avec tous ses moines sortirent lesquels, quand aperçurent ces pauvres gens ainsi
rués* parmi** la vigne et blessés à mort, en * renversés
confessèrent quelques-uns. Mais, cependant que ** au milieu de
160 les prêtres s'amusaient* à confesser, les petits * s'attardaient
moinetons coururent au lieu où était frère Jean,
et lui demandèrent en quoi il voulait qu'ils lui
aidassent.

A quoi répondit qu'ils égorgetassent[3] ceux qui
165 étaient portés par terre. Adonc, laissants leurs
grandes capes sur une treille au plus près,
commencèrent égorgeter et achever ceux qu'il
avait déjà meurtris*. Savez-vous de quels ferre- * blessés à mort
ments*? A beaux gouvets, qui sont petits demi- * outils de fer
170 couteaux dont les petits enfants de notre pays
cernent les noix. (10)

Puis, à tout* son bâton de croix, gagna la * avec
brèche qu'avaient fait les ennemis. Aucuns* * quelques-uns
des moinetons emportèrent les enseignes et gui-

---

1. Série d'autres reliques vénérées dans l'ouest de la France; 2. Je me confesse,
ayez pitié [je me remets] en vos mains; 3. *Egorgeter :* égorger çà et là (fréquentatif).

──────── **QUESTIONS** ────────

8. Montrez comment l'intervention de frère Jean a renversé la situation et comment les assaillants, se trouvant maintenant dans la même
position que les moines au début du chapitre, ont recours aux mêmes
espoirs. — Quelle efficacité Rabelais accorde-t-il aux saints et à leurs
reliques? Ou plutôt quelle imposture dénonce-t-il?

9. A quels détails reconnaît-on que Rabelais veut faire de ce combat
une parodie d'épopée?

10. Rabelais approuve-t-il ici l'attitude du prieur ou celle de frère
Jean? Laquelle devrait choisir un catholique sincère? Que peut-on en
déduire du christianisme de Rabelais, si christianisme il y a?

175 dons en leurs chambres pour en faire des jar-
tiers*. Mais quand ceux qui s'étaient confessés
voulurent sortir par icelle* brèche, le moine les
assommait de coups, disant : « Ceux-ci sont
confès¹ et repentants et ont gagné les pardons² :
180 ils s'en vont en paradis aussi droit comme une
faucille, et comme est le chemin de Faye³. »
Ainsi, par sa prouesse, furent déconfits tous
ceux de l'armée qui étaient entrés dedans le clos,
jusques au nombre de treize mille six cents
185 vingt et deux, sans les femmes et petits enfants,
cela s'entend toujours⁴. **(11)**

Jamais Maugis ermite⁵ ne se porta si vaillamment à tout* son bourdon contre les Sarrasins,
desquels est écrit ès gestes des quatre fils Aymon,
190 comme fit le moine à l'encontre des ennemis
avec le bâton de la croix. **(12) (13)**

* jarretières

* cette

* avec

---

1. Ont reçu l'absolution; 2. Ont gagné des indulgences; 3. *Faye* (aujourd'hui Faye-la-Vineuse) : petit bourg des environs de Chinon, où l'on accède par un chemin sinueux; 4. Parodie d'une formule biblique, qui se trouve fréquemment dans les récits de batailles, où dont dénombrés les ennemis, « sans compter les femmes et les enfants », qui étaient épargnés; 5. *Maugis* est cousin des quatre fils Aymon, dans le célèbre roman du Moyen Age qui est consacré à leurs aventures.

QUESTIONS

11. Les différents effets comiques de ces derniers épisodes. Quel est en particulier le mécanisme comique qui intervient au moment où frère Jean assomme les ennemis absous? Le rire efface-t-il complètement l'impression d'horreur que pourrait produire la scène?

12. Quel souci l'auteur révèle-t-il par cette référence à Maugis?

13. Sur l'ensemble du chapitre xxvii. — La composition et le style : comment les faits s'enchaînent-ils et comment l'intérêt se maintient-il jusqu'à la fin du récit? Les procédés de stylisation; l'illusion de vie. L'ivresse verbale de Rabelais; comment l'auteur la souligne-t-il lui-même et pourquoi?

— Analysez les différents éléments qui constituent le personnage de frère Jean. Quelles qualités symbolise-t-il? Un critique contemporain a fait de lui une transposition romanesque de Jeanne d'Arc : qu'y a-t-il de fondé dans cette assimilation un peu surprenante?

— Entrevoit-on, à la lumière de ce chapitre, certaines critiques adressées à la vie monastique?

— Si on se rappelle les renseignements donnés au chapitre xxvi sur les forces militaires de Picrochole, quelle signification cet échec prend-il?

CHAPITRE XXVIII

COMMENT PICROCHOLE PRIT D'ASSAUT LA ROCHE-CLERMAUD ET LE REGRET ET DIFFICULTÉ QUE FIT GRANDGOUSIER D'ENTREPRENDRE GUERRE

Cependant que le moine s'escarmouchait, comme avons dit, contre ceux qui étaient entrés[1] le clos, Picrochole, à grande hâtiveté*, passa le   * hâte
gué de Vède[2] avec ses gens et assaillit la Roche-
5 Clermaud, auquel lieu ne lui fut faite résistance
quelconque, et parce qu'il était jà nuit, déli-
béra* en icelle** ville s'héberger, soi et ses gens,   * décida ** cette
et rafraîchir de sa colère pungitive[3]. Au matin,
prit d'assaut les boulevards[4] et château, et le
10 rempara[5] très bien, et le pourvut de munitions
requises, pensant là faire sa retraite si d'ailleurs
était assailli, car le lieu était fort, et par art et
par nature, à cause de la situation et assiette. **(1)**
Or laissons-les là, et retournons à notre bon
15 Gargantua, qui est à Paris, bien instant* à   * ardent
l'étude des bonnes lettres et exercitations* athlé-   * exercices
tiques, et le vieux bonhomme Grandgousier,
son père, qui après souper se chauffe [...] à un
beau, clair et grand feu, et attendant graîler*   * griller
20 des châtaignes, écrit au foyer avec un bâton
brûlé d'un bout, dont on écharbotte* le feu,   * tisonne
faisant à sa femme et famille de beaux contes
du temps jadis. **(2)**

---

1. Le verbe *entrer* se construit transitivement comme *intrare* en latin; 2. Pour la localisation des sites de ce chapitre, voir carte, page 65; 3. *Pungitif :* qui a le caractère d'une piqûre; 4. *Boulevard :* fortifications avancées; 5. Mit en état de défense.

——— QUESTIONS ———

1. Pourquoi les premiers succès de Picrochole sont-ils si aisés? Pourquoi Rabelais tient-il à montrer que Picrochole et son état-major possèdent une indéniable science militaire?

2. Montrez le contraste entre Grandgousier et Picrochole : comment Rabelais sait-il trouver le ton lyrique pour évoquer l'idéal d'un bonheur simple et pacifique?

Un des bergers qui gardaient les vignes,
25 nommé Pillot, se transporta devers lui en icelle*   * cette
heure, et raconta entièrement les excès et pil-
lages que faisait Picrochole, roi de Lerné, en
ses terres et domaines, et comment il avait pillé,
gâté, saccagé tout le pays, excepté le clos de
30 Seuillé que frère Jean des Entommeures avait
sauvé à son honneur, et de présent était ledit
roi en la Roche-Clermaud, et là, en grande
instance*, se remparait lui et ses gens.   * ardeur

« Holos! holos*! dit Grandgousier, Qu'est   * hélas
35 ceci, bonnes gens? Songé-je ou si vrai est ce
qu'on me dit? Pricochole, mon ami ancien de
tout temps, de toute race et alliance, me vient-il
assaillir? Qui le meut? qui le point*? qui le   * pique
conduit? qui l'a ainsi conseillé? Ho, ho, ho, ho,
ho! mon Dieu, mon Sauveur, aide-moi, inspire-
40 moi, conseille-moi, à ce qu'est de faire[1]. Je pro-
teste*, je jure devant toi — ainsi me sois-tu   * j'atteste
favorable! —, si jamais à lui déplaisir, ni à ses   solennellement
gens dommage, ni en ses terres je fis pillerie*;   * pillage
mais bien au contraire je l'ai secouru de gens,
45 d'argent, de faveur et de conseil, en tous cas
qu'ai pu connaître son avantage. Qu'il m'ait
donc en ce point outragé, ce ne peut être que
par l'esprit malin. Bon Dieu, tu connais mon
courage*, car à toi rien ne peut être celé. Si   * cœur
50 par cas il était devenu furieux*, et que pour lui   * fou
réhabiliter* son cerveau, tu me l'eusses ici envoyé,   * rétablir
donne-moi et pouvoir et savoir[2] le rendre au
joug de ton saint vouloir par bonne discipline*.   * enseignement

« Ho, ho, ho! mes bonnes gens, mes amis et
55 mes féaux* serviteurs, faudra-t-il que je vous   * loyaux
empêche à m'y aider[3]? Las! ma vieillesse ne
requérait dorénavant que repos, et toute ma vie
n'ai rien tant procuré* que paix; mais il faut,   * poursuivi
je le vois bien, que maintenant de harnais je
60 charge mes pauvres épaules lasses et faibles, et

---

1. Sur ce qui est à faire; 2. Donne-moi de pouvoir et de savoir. La préposition *de* est, en pareil cas, souvent omise par la langue du XVIᵉ siècle; 3. Que je vous donne de l'embarras pour m'y aider.

en ma main tremblante je prenne la lance et la
masse[1] pour secourir et garantir mes pauvres
sujets. La raison le veut ainsi, car de leur labeur
je suis entretenu et de leur sueur je suis nourri,
65 moi, mes enfants et ma famille. Ce nonobstant,
je n'entreprendrai guerre que je n'aie essayé tous
les arts* et moyens de paix; là je me résous. » (3)   * procédés

Adonc fit convoquer son conseil et proposa*   * exposa
l'affaire tel comme il était, et fut conclu qu'on
70 enverrait quelque homme prudent devers Picrochole savoir pourquoi ainsi soudainement était
parti* de son repos, et envahi les terres èsquelles   * sorti
n'avait droit quiconque*; davantage** qu'on   * quelconque
envoyât quérir Gargantua et ses gens afin de   ** en outre
75 maintenir le pays et défendre à* ce besoin. Le   * en
tout plut à Grandgousier et commanda qu'ainsi
fut fait. Dont sur l'heure envoya le Basque[2],
son laquais, quérir à toute diligence Gargantua,
et lui écrivait comme s'ensuit. (4) (5)

---

1. La masse d'armes; 2. C'était l'habitude de désigner les domestiques par le nom
de leur province d'origine; à cette époque, la misère de leur pays poussait de nombreux Basques à servir comme laquais.

——— QUESTIONS ———

3. Analysez en détail les propos de Grandgousier. Quels sont les
différents sentiments qui se succèdent dans ses réflexions? Dans quelle
mesure le vocabulaire et le style traduisent-ils ses états d'âme successifs?
— La foi religieuse de Grandgousier (lignes 39-40) : en quoi diffère-t-elle
de celle du prieur de Seuillé ou des soldats de Picrochole au chapitre XXVII?
Quels rapports le roi chrétien entretient-il avec Dieu? — Est-ce toutefois
à Dieu que Grandgousier a recours au moment de prendre ses décisions
et ses responsabilités? Peut-on avoir la certitude que sa détermination
est ferme?

4. Comparez ce dernier paragraphe aux lignes 11-16 du chapitre XXVI :
quelle conception du pouvoir royal Grandgousier représente-t-il par
comparaison avec Picrochole?

5. SUR L'ENSEMBLE DU CHAPITRE XXVIII. — La personnalité de Grandgousier : sa bonhomie et sa naïveté sont-elles compatibles avec la condition royale?
— Quel idéal de la royauté se dessine déjà dans ce chapitre? Sur quoi
se fondent les rapports entre le roi et ses sujets?

CHAPITRE XXIX

LA TENEUR DES LETTRES QUE GRANDGOUSIER ÉCRIVAIT À GARGANTUA

« La ferveur de tes études requérait que de longtemps ne te révoquasse* de cetui** philosophique repos, si la confiance de nos amis et anciens confédérés* n'eût de présent frustré la
5 sûreté de ma vieillesse. Mais, puisque telle est cette fatale destinée que par iceux sois inquiété èsquels* plus je me reposais, force m'est de te rappeler au subside* des gens et biens qui te sont par droit naturel affiés*. Car ainsi comme**
10 débiles sont les armes au-dehors si le conseil* n'est en la maison, aussi vaine est l'étude et le conseil inutile, qui, en temps opportun, par vertu* n'est exécuté et à son effet réduit**.

   « Ma délibération n'est de provoquer, ains*
15 d'apaiser; d'assaillir, mais de défendre; de conquêter, mais de garder mes féaux* sujets et terres héréditaires, èsquelles est hostilement entré Picrochole sans cause ni occasion, et de jour en jour poursuit sa furieuse* entreprise, avec excès
20 non tolérables à personnes libères*. (1)

   « Je me suis en devoir mis pour modérer sa colère tyrannique, lui offrant tout ce que je pensais lui pouvoir être en contentement, et, par plusieurs fois, ai envoyé¹ amiablement
25 devers* lui pour entendre en quoi, par qui et comment il se sentait outragé; mais de lui n'ai eu réponse que de volontaire défiance*, et qu'en

* rappelasse
** ce

* alliés

* en lesquels
* secours
* confiés ** que
* décision

* valeur
** mené
* mais

* loyaux

* délirante
* libres

* auprès de

* défi

1. *Envoyer* : adresser des messages ou des ambassades (emploi absolu du verbe).

──── **QUESTIONS** ────

1. Relevez les procédés rhétoriques utilisés dans cette lettre. Comment faut-il apprécier cette art rhétorique? Rabelais veut-il parodier la haute éloquence ou réellement incliner son lecteur à la gravité? — Comment se précisent certaines idées déjà exprimées par Grandgousier au chapitre précédent? Quels impératifs moraux doivent être sauvegardés par priorité? Définissez ce qu'entend Rabelais par le *droit naturel* (ligne 9), par la liberté (ligne 20).

mes terres prétendait seulement droit de bien-
séance*. Dont j'ai connu que Dieu éternel l'a   * bon plaisir
30 laissé au gouvernail de son franc arbitre et
propre sens, qui ne peut être que méchant si
par grâce divine n'est continuellement guidé[1],
et, pour le contenir en office* et réduire à   * devoir
connaissance me l'a ici envoyé à* molestes**   * avec
35 enseignes. (2)   ** hostiles

« Pourtant*, mon fils bien aimé, le plus tôt   * aussi
que faire pourras, ces lettres vues, retourne à*   * avec
diligence secourir, non tant moi (ce que toutefois
par pitié* naturellement tu dois) que les tiens,   * piété
40 lesquels par raison tu peux sauver et garder.
L'exploit sera fait à moindre effusion de sang
que sera possible, et si possible est, par engins*   * moyens
plus expédients, cautèles* et ruses de guerre,   * précautions
nous sauverons toutes les âmes[2] et les enverrons
45 joyeux à leurs domiciles. (3)

« Très-cher fils, la paix du Christ notre rédemp-
teur soit avec toi. Salue Ponocrates, Gymnaste
et Eudémon de par moi.

« Du vingtième de septembre.

« Ton père, GRANDGOUSIER. » (4)

CHAPITRE XXX

[Ulrich Gallet[3], maître des requêtes, est envoyé à Picrochole par
Grandgousier, pour une tentative de conciliation.]

---

1. Cette affirmation de la nécessité de la grâce pour l'homme, forcément mauvais
sans elle, apparente Grandgousier aux réformateurs; **2.** Toutes les vies, tout le monde.
Âme a ici son sens le plus général (comparer l'expression : une ville de cent mille
âmes); **3.** Un avocat de Chinon portait ce nom; proche parent d'Antoine Rabelais,
il fut envoyé au parlement de Paris pour plaider contre Gaucher de Sainte-Marthe,
qui a sans doute servi de modèle à Picrochole.

--- **QUESTIONS** ---

2. La morale des rois : au nom de quels principes Grandgousier juge-t-il
l'attitude de Picrochole et la condamne-t-il? Définissez les rapports entre
les intentions de Dieu et les décisions du roi.

3. Tous les moyens de vaincre sont-ils bons pour faire triompher
une juste cause? A quoi doit servir l'art de la guerre, selon Grandgousier? — Quels aspects du fanatisme guerrier se trouvent ici condamnés?

4. SUR L'ENSEMBLE DU CHAPITRE XXIX. — Quels sont les devoirs d'un
roi, d'après Grandgousier et Rabelais?

CHAPITRE XXXI

LA HARANGUE FAITE PAR GALLET À PICROCHOLE

« Plus juste cause de douleur naître ne peut entre les humains que si, du lieu dont par droiture espéraient grâce et bénévolence*, ils reçoivent ennui* et dommage. Et non sans cause (combien
5 que sans raison) plusieurs venus en tel accident ont cette indignité moins estimé tolérable que leur vie propre, et, en cas que par force ni autre engin* ne l'ont pu corriger, se sont eux-mêmes privés de cette lumière.

10 « Donc merveille n'est si le roi Grandgousier, mon maître, est, à ta furieuse et hostile venue, saisi de grand déplaisir* et perturbé** en son entendement. Merveille serait si ne l'avaient ému les excès incomparables* qui, en ses terres
15 et sujets, ont été par toi et tes gens commis, èsquels* n'a été omis exemple aucun d'inhumanité. Ce que* lui est tant grief** de soi, par la cordiale affection de* laquelle toujours a chéri ses sujets, qu'à mortel homme plus être ne sau-
20 rait. Toutefois, sur l'estimation humaine, plus grief lui est, en tant que par toi[1] et les tiens ont été ces griefs et torts faits, qui, de toute mémoire et ancienneté aviez, toi et tes pères, une amitié avec lui et tous ses ancêtres conçu, laquelle,
25 jusques à présent, comme sacrée, ensemble aviez inviolablement maintenue, gardée et entretenue, si bien que, non lui seulement ni les siens, mais les nations barbares[2], Poitevins, Bretons, Manceaux, et ceux qui habitent outre les îles de
30 Canarre[3] et Isabella[4], ont estimé aussi facile démolir le firmament et les abîmes ériger audessus des nues que désemparer votre alliance,

* bienveillance
* tourment

* moyen

* désespoir
** très troublé

* sans égal

* en lesquels
* qui
** douloureux
* avec

---

1. Dans la mesure où c'est par toi; 2. *Barbare* signifie ici « étranger », comme chez les Grecs et les Latins; 3. *Canarre* est un pays fabuleux, de situation géographique incertaine, peut-être les îles Canaries; 4. *Isabella :* ville fondée en 1493 par Christophe Colomb au nord d'Haïti.

et tant l'ont redoutée en leurs entreprises qu'ils
n'ont jamais osé provoquer, irriter ni endomma-
35 ger l'un par crainte de l'autre. (1)

« Plus y a. Cette sacrée amitié tant a empli ce
ciel que peu de gens sont aujourd'hui habitants
par tout le continent et îles de l'Océan qui n'aient
ambitieusement aspiré être reçus en icelle*, à   * celle-ci
40 pactes par vous-mêmes conditionnés*, autant   * fixés
estimants votre confédération que leurs propres
terres et domaines. En sorte que, de toute
mémoire, n'a été prince ni ligue tant efferée*   * sauvage
ou superbe* qui ait osé courir sur, je ne dis   * orgueilleuse
45 point vos terres, mais celles de vos confédérés*,   * alliés
et si, par conseil précipité, ont encontre eux
attenté* quelque cas de nouvelleté**, le nom et   * tenté
titre de votre alliance entendu, ont soudain   ** empiétement
désisté de* leurs entreprises. Quelle furie** donc * abandonné
50 t'émeut maintenant, toute alliance brisée, toute   ** folie
amitié conculquée*, tout droit trépassé**, envahir * piétinée
hostilement ses terres sans en rien avoir été par   ** transgressé
lui ni les siens endommagé, irrité ni provoqué?
Où est foi? où est loi? où est raison? où est
55 humanité? où est crainte de Dieu? Cuides-tu*   * Penses-tu
ces outrages être recélés* ès* esprits éternels   * cachés ** aux
et au Dieu souverain, qui est juste rétributeur
de nos entreprises? Si le cuides*, tu te trompes,   * penses
car toutes choses viendront à son jugement.
60 Sont-ce fatales¹ destinées ou influences² des
astres qui veulent mettre fin à tes aises et repos?
Ainsi ont toutes choses leur fin et période*,   * terme
et quand elles sont venues à leur point superlatif*, elles sont en bas ruinées**, car elles ne   * extrême
65 peuvent longtemps en tel état demeurer. C'est   ** précipitées
la fin de ceux qui leurs fortunes et prospérités

---

1. *Fatal* : marqué par le sort; 2. *Influence* : fluide qui s'écoule des astres dans les esprits.

──── QUESTIONS ────

1. Recherchez, dans ces deux premiers paragraphes, les latinismes dans le style, dans la syntaxe, dans le vocabulaire. Quel est l'auteur latin dont Rabelais prétend s'inspirer? — Cette harangue n'est-elle pas principalement un exercice de style?

ne peuvent par raison et tempérance modérer. (2)

« Mais si ainsi était fée* et dut ores ton heur**   * fatal
et repos prendre fin, fallait-il que ce fût en   ** bonheur
70 incommodant* à mon roi, celui par lequel tu   * faisant tort
étais établi? Si ta maison devait ruiner*, fallait-il   * s'écrouler
qu'en sa ruine elle tombât sur les âtres de celui
qui l'avait ornée*? La chose est tant hors les   * pourvue
mètes* de raison, tant abhorrente** de sens   * limites
75 commun, qu'à peine peut-elle être par humain   ** éloignée
entendement conçue, et jusques à ce demeurera
non croyable entre les étrangers que l'effet
assuré[1] et témoigné leur donne à entendre que
rien n'est saint ni sacré à ceux qui se sont éman-
80 cipés de Dieu et raison pour suivre leurs affections perverses. (3)

« Si quelque tort eût été par nous fait en tes
sujets et domaines, si par nous eût été porté
faveur à tes mal voulus*, si en tes affaires ne   * ennemis
85 t'eussions secouru, si par nous ton nom et
honneur eût été blessé, ou, pour mieux dire,
si l'esprit calomniateur, tentant à mal te tirer[2],
eût, par fallaces* espèces** et fantasmes ludi-   * trompeuses
ficatoires[3], mis en ton entendement qu'envers   ** apparences
90 toi eussions fait chose non digne de notre
ancienne amitié, tu devais premier* enquérir de   * d'abord
la vérité, puis nous en admonester*, et nous   * avertir
eussions tant à ton gré satisfait qu'eusses eu
occasion de toi contenter. Mais, ô Dieu éternel!
95 quelle est ton entreprise? Voudrais-tu, comme
tyran perfide, piller ainsi et dissiper le royaume
de mon maître? L'as-tu éprouvé tant ignave* et   * lâche
stupide qu'il ne voulût, ou tant destitué* de   * dépourvu

---

1. Elle demeurera non croyable entre les étrangers jusqu'à ce que l'effet assuré...;
2. Tentant de te tirer au mal; 3. Par imaginations illusoires.

────── QUESTIONS ──────

2. Étudiez la structure de ce paragraphe : comment y rattache-t-on
le cas particulier aux règles générales? Cette structure n'est-elle pas plus
ou moins celle de chacun des paragraphes de ce discours?

3. Qu'y a-t-il de contradictoire et, sinon de sophistiqué, du moins
de purement rhétorique dans cette partie de l'argumentation?

gens, d'argent, de conseil et d'art militaire qu'il
100 ne pût résister à tes iniques assauts? **(4)**

    « Dépars* d'ici présentement, et demain pour   * Pars
tout le jour* soit retiré en tes terres, sans par   * toujours
le chemin faire aucun tumulte ni force*; et   * violence
paie mille besans¹ d'or pour les dommages qu'as
105 fait en ces terres. La moitié bailleras* demain,   * donneras
l'autre moitié payeras ès* ides de mai² prochai-   * aux
nement venant, nous délaissant* cependant pour   * laissant
otages les ducs de Tournemoule, de Basdefesses
et de Menuail, ensemble* le prince de Gratelles   * avec
110 et le vicomte de Morpiaille³. » **(5) (6)**

CHAPITRE XXXII

COMMENT GRANDGOUSIER, POUR ACHETER LA PAIX, FIT RENDRE LES FOUACES

    A tant* se tut le bon homme Gallet; mais   * Alors
Picrochole à tous ses propos ne répond autre
chose, sinon : « Venez les quérir, venez les
quérir. Ils vous broieront de la fouace. »
5   Adonc retourne vers Grandgousier, lequel
trouva à genoux, tête nue, incliné en un petit
coin de son cabinet, priant Dieu qu'il vousît*   * voulût

---

    1. *Besant :* ancienne monnaie qui n'avait plus cours depuis longtemps; **2.** Le 15 mai, suivant le calendrier romain; **3.** Noms de fantaisie qui évoquent des réalités aussi méprisables que le sont les membres de l'entourage de Picrochole.

——————— **QUESTIONS** ———————

    4. Analysez le genre de raisonnement que développe ce paragraphe (lignes 82-100) : comment la démonstration se trouve-t-elle engagée vers une conclusion irréfutable?

    5. L'ultimatum de Grandgousier : comment s'y unissent la volonté de conciliation et la fermeté?

    6. Sur l'ensemble du chapitre xxxi. — Analysez la composition de cette harangue : dégagez l'enchaînement des arguments.

    — Comparez cette harangue avec la lettre de Grandgousier à Gargantua (chap. xxix) et avec le monologue de Grandgousier (chap. xxviii, lignes 34-53) : montrez la persistance des mêmes thèmes, traités chaque fois sur un mode d'expression différent.

amollir la colère de Picrochole, et le mettre au
point de raison sans y procéder par force **(1)**.
10 Quand vit le bon homme de retour, il lui
demanda : « Ha! mon ami, mon ami, quelles
nouvelles m'apportez-vous?

— Il n'y a, dit Gallet, ordre[1] : cet homme est
du tout* hors du sens et délaissé de Dieu.

                                       * complètement

15 — Voire* mais, dit Grandgousier, mon ami,
quelle cause prétend-il de cet excès?

                                       * sans doute

— Il ne m'a, dit Gallet, cause quelconque
exposé, sinon qu'il m'a dit en colère quelques
mots de fouaces. Je ne sais si l'on n'aurait
20 point fait outrage à ses fouaciers.

— Je le veux, dit Grandgousier, bien entendre
devant* qu'autre chose délibérer sur ce que** *   * avant ** qui
serait de* faire. » **(2)** *   * à

Alors manda savoir de cet affaire, et trouva
25 pour vrai qu'on avait pris par force quelques
fouaces de ses gens, et que Marquet avait reçu
un coup de tribard* sur la tête, toutefois que *   * bâton
le tout avait été bien payé et que le dit Marquet
avait premier* blessé Frogier de son fouet par *   * d'abord
30 les jambes, et sembla à tout son conseil qu'en
toute force il se devait défendre.

Ce nonobstant dit Grandgousier : « Puisqu'il
n'est question que de quelques fouaces, j'essaierai
de le contenter, car il me déplaît par trop de
35 lever guerre. » Adonc s'enquêta combien on
avait pris de fouaces, et entendant quatre ou
cinq douzaines, commanda qu'on en fît cinq
charretées en icelle* nuit, et que l'une fut de *   * cette

---

1. L'ordre n'est pas rétabli.

—— QUESTIONS ——

1. Cherchez, dans les chapitres XXVIII, XXIX et XXXI, d'autres preuves
de la foi de Grandgousier. Pourquoi cette insistance sur la piété du roi?
Y a-t-il auprès de Grandgousier des ministres de cette religion, qu'il
pratique avec tant de conviction?

2. Quel nouvel exemple Grandgousier donne-t-il de sa conscience pro-
fessionnelle de roi? — L'incident des fouaces reste jusqu'ici ignoré de
Grandgousier, alors que Picrochole en a été informé dès le début du
chapitre XXVI : comment cette différence permet-elle à Rabelais de mieux
mettre encore en valeur ce qui distingue les deux rois?

fouaces faites à beau beurre, beaux moyeux* * jaunes
40 d'œufs, beau safran et belles épices, pour être
distribuées à Marquet, et que, pour ses intérêts,
il lui donnait sept cents mille et trois philippus[1]
pour payer les barbiers* qui l'auraient pansé, * chirurgiens
et d'abondant* lui donnait la métairie de la * de surplus
45 Pomardière, à perpétuité franche pour lui et
les siens. **(3)**

Pour le tout conduire et passer fut envoyé
Gallet, lequel par le chemin fit cueillir près de
la Saulaye force grands rameaux de cannes[1] et
50 de roseaux, et en fit armer autour leurs charrettes, et chacun des charretiers; lui-même en
tint un dans sa main, par ce voulant donner à
connaître, qu'ils ne demandaient que paix et
qu'ils venaient pour l'acheter.

55 Eux venus à la porte, requirent* parler à * demandèrent
Picrochole de par* Grandgousier. Picrochole ne * au nom de
voulut onques* les laisser entrer, ni aller à eux * jamais
parler, et leur manda qu'il était empêché, mais
qu'ils dissent ce qu'ils voudraient au capitaine
60 Touquedillon, lequel affûtait* quelque pièce sur * mettait en
les murailles. Adonc lui dit le bon homme : batterie

« Seigneur, pour vous retirer de tout ce débat
et ôter toute excuse que ne retournez en notre
première alliance, nous vous rendons présente-
65 ment les fouaces dont est la controverse. Cinq
douzaines en prirent nos gens; elles furent bien
payées; nous aimons tant la paix que nous en
rendons cinq charrettes, desquelles cette ici sera
pour Marquet, qui plus se plaint. Davantage,
70 pour le contenter entièrement, voilà sept cent

---

1. *Philippus :* monnaie d'or grecque, à l'effigie de Philippe de Macédoine, dont
le nom désignait, au XVIe siècle, toute monnaie d'or; 2. *Canne :* terme général pour
désigner des plantes du genre des roseaux. Ces cannes et ces roseaux sont ici symboles de paix, comme le laurier des Anciens.

—————— **QUESTIONS** ——————

3. La réaction de Grandgousier en apprenant la cause du conflit :
ne pourrait-il pas s'indigner à bon droit de la manière dont Picrochole
a exploité l'incident des fouaces? Comment s'expliquer sa pondération?
Pourquoi la réparation des dommages est-elle sans commune mesure
avec les dommages eux-mêmes?

mille et trois philippus que je lui livre, et pour
l'intérêt qu'il pourrait prétendre, je lui cède la
métairie de la Pomardière, à perpétuité, pour
lui et les siens, possédable en franc aloi[1]; voyez
75 ci le contrat de la transaction. Et, pour Dieu,
vivons dorénavant en paix, et vous retirez* en   * retirez-vous
vos terres joyeusement, cédants cette place ici,
en laquelle n'avez droit quelconque, comme bien
le confessez*, et amis comme avant. » (4)   * admettez

80   Touquedillon raconta le tout à Picrochole, et
de plus en plus envenima son courage*, lui   * cœur
disant : « Ces rustres ont belle peur. Par Dieu!
Ce n'est leur art aller en guerre, mais oui bien
vider les flacons. Je suis d'opinion que retenons*   * retenions
85 ces fouaces et l'argent, et au reste nous hâtons
de remparer* ici et poursuivre notre fortune.   * fortifier
Mais pensent-ils bien avoir affaire à une dupe,
de vous paître* de ces fouaces? Voilà que c'est.   * rassasier
Le bon traitement et la grande familiarité que
90 leur avez par ci devant tenue, vous ont rendu
envers eux contemptible*. Oignez[2] vilain, il vous   * méprisable
poindra*. Poignez vilain, il vous oindra.   * piquera

    — Çà, ça, ça, dit Picrochole, saint Jacques!
ils en auront : faites ainsi qu'avez dit.

95   — D'une chose, dit Touquedillon, vous veux-je
avertir. Nous sommes ici assez mal avitaillés*   * ravitaillés
et pourvus maigrement des harnais de gueule[3].
Si Grandgousier nous mettait siège, dès à présent m'en irais faire arracher les dents toutes,
100 seulement que trois me restassent, autant à vos
gens comme à moi; avec icelles nous n'avance-
rons que trop à manger nos munitions*. (5)   * provisions

---

1. *En franc aloi :* à titre gratuit, exonéré de tout droit; 2. *Oindre :* frotter d'onguent,
caresser; 3. Provisions.

─────── **QUESTIONS** ───────

4. Cette deuxième mission de Gallet a-t-elle plus de chances de réussir
que la première? Relevez les détails qui prouvent que Picrochole durcit
son attitude. Les concessions faites par Grandgousier peuvent-elles le
faire changer d'avis?

5. Comment Rabelais a-t-il caractérisé en deux répliques le personnage de Touquedillon? Quelle est l'opinion de Rabelais sur les militaires
de carrière?

— Nous, dit Picrochole, n'aurons que trop
mangeailles. Sommes-nous ici pour manger ou
105 pour batailler?

— Pour batailler, vraiment, dit Touquedillon;
mais de la panse vient la danse[1], et où faim
règne force exule*. * est bannie

— Tant* jaser! dit Picrochole. Saisissez ce * assez
110 qu'ils ont amené. »

Adonc prirent argent et fouaces, et bœufs et
charrettes et les renvoyèrent sans mot dire, sinon
qu'ils n'approchassent plus de si près, pour la
cause qu'on leur dirait demain. Ainsi sans rien
115 faire retournèrent devers Grandgousier et lui
contèrent le tout, ajoutants qu'il n'était aucun
espoir de les tirer à paix, sinon à* vive et forte * par
guerre. (6) (7)

CHAPITRE XXXIII

COMMENT CERTAINS GOUVERNEURS DE PICROCHOLE, PAR CONSEIL PRÉCIPITÉ, LE MIRENT AU DERNIER PÉRIL

Les fouaces détroussées, comparurent devant
Picrochole les duc de Menuail, comte Spadassin
et capitaine Merdaille et lui dirent : « Sire,
aujourd'hui nous vous rendons le plus heureux,
5 plus chevalereux* prince qui onques** fut depuis * vaillant ** jamais
la mort d'Alexandre Macedo*. (1) * le Macédonien

1. On ne peut pas danser la panse vide; proverbe déjà cité par Villon.

——— **QUESTIONS** ———

6. L'exaltation belliqueuse de Picrochole : à quels signes voit-on que
sa fureur agressive commence à lui faire perdre le sens des réalités?

7. SUR L'ENSEMBLE DU CHAPITRE XXXII. — Quelle est la conclusion de
ce chapitre? Comment Grandgousier a-t-il été, malgré son désir de paix,
graduellement conduit à la guerre?

1. La valeur de cette comparaison : ne donne-t-elle pas le ton de tout
le chapitre?

— Couvrez, couvrez-vous[1], dit Picrochole.

— Grand merci, dirent-ils, sire, nous sommes à notre devoir. Le moyen est tel : vous laisserez
10 ici quelque capitaine en garnison, avec petite bande de gens, pour garder la place, laquelle nous semble assez forte, tant par nature que par les remparts faits à votre invention. Votre armée partirez* en deux, comme trop mieux * répartirez
15 l'entendez[2].

« L'une partie ira ruer* sur ce Grandgousier * se jeter
et ses gens. Par icelle* sera de prime abordée** * celle-ci ** abord
facilement déconfit. Là recouvrerez* argent à * acquerrez
tas, car le vilain en a du comptant. Vilain,
20 disons-nous, parce qu'un noble prince n'a jamais un sou[3]. Thésauriser est fait de vilain. (2)

« L'autre partie, cependant, tirera vers Aunis, Saintonge, Angoumois et Gascogne, ensemble* * en même temps
Périgot[4], Médoc et Elanes[5]. Sans résistance pren-
25 dront villes, châteaux et forteresses. A Bayonne, à Saint-Jean-de-Luc et Fontarabie, saisirez toutes les naufs*, et côtoyant vers Galice et Portugal, * navires
pillerez tous les lieux maritimes jusque à Ulis-
bonne[6], où aurez renfort de tout équipage requis* * nécessaire
30 à un conquérant. Par le corbieu[7]! Espagne se rendra, car ce ne sont que madourrés*! Vous * lourdauds
passerez par l'étroit de Sibyle[8] et là érigerez deux colonnes plus magnifiques que celles d'Hercule[9] à perpétuelle mémoire de votre nom, et

---

1. Picrochole invite ses lieutenants à se couvrir devant lui pour leur donner une marque de son estime; eux, par déférence, veulent rester découverts. C'est un jeu de scène comique traditionnel; 2. Comme vous l'entendez beaucoup mieux que nous. On trouve encore *trop mieux* avec ce sens dans la langue classique; 3. Proverbe qui a pour origine la décadence financière de la classe féodale; 4. Périgord; 5. Landes; 6. Lisbonne; 7. Déformation de « par le corps de Dieu »; 8. Le détroit de Séville ou de Gibraltar; 9. Hercule, dit-on, ouvrit un passage aux eaux de l'Océan en sépa-rant les monts de Gibraltar et de Ceuta; on les appelait les « colonnes d'Hercule ».

—————— QUESTIONS ——————

2. Le ton des conseillers de Picrochole : comment s'y mêlent suffi-sance et flatterie? — Quelles sont les allusions d'ordre historique et social contenues dans les lignes 18-21? Quel est, à l'époque de Rabelais, l'état des finances royales en France? Quelle est la classe sociale qui affecte de mépriser l'argent et quelle est celle, au contraire, qui fait de l'épargne la première vertu?

35 sera nommé cetui* détroit la mer Picrocholine. (3) * ce

   « Passée la mer Picrocholine, voici Barberousse[1] qui se rend votre esclave...

   — Je, dit Picrochole, le prendrai à merci. (4)

   — Voire*, dirent-ils, pourvu qu'il se fasse * oui
40 baptiser. Et oppugnerez* les royaumes de Tunic, * attaquerez
d'Hippes[2], Argière[3], Bône, Corone[4], hardiment
toute Barbarie[5]. Passant outre, retiendrez en votre
main Majorque, Minorque, Sardaigne, Corsique[6]
et autres îles de la mer Ligustique[7] et Baléare.

45   « Côtoyant à gauche, dominerez toute la
Gaule Narbonique, Provence et Allobroges,
Gênes, Florence, Luques et à Dieu seas[8] Rome!
Le pauvre Monsieur du[9] Pape meurt déjà de
peur.

50   — Par ma foi, dit Picrochole, je ne lui bai-
serai jà* sa pantoufle. (5) * jamais

   — Prise Italie, voilà Naples, Calabre, Apouille* * Apulie
et Sicile toutes à sac, et Malte avec. Je voudrais
bien que les plaisants chevaliers jadis Rhodiens[10]
55 vous résistassent pour voir de leur urine[11]!

   — J'irais, dit Picrochole, volontiers à Lorette[12].

   — Rien, rien*, dirent-ils, ce sera au retour. * non

---

1. *Barberousse* : émir d'Alger, qui mit sa puissante flotte au service de François Ier contre Charles Quint; 2. Hippone; 3. Alger; 4. Cyrène; 5. L'Afrique du Nord, du Maroc à la Libye; 6. La Corse; 7. Le golfe de Gênes; 8. *A Dieu sois* (formule provençale d'adieu) : adieu la puissance de Rome; 9. Anoblissement ironique et irrévérencieux; 10. Chassés de Rhodes par les Turcs en 1522, les chevaliers de Saint-Jean-de-Jérusalem venaient, en 1530, d'être établis à Malte par Charles Quint; 11. Expression médicale signifiant « pour voir comment ils vont, pour voir ce dont ils sont capables »; 12. Célèbre pèlerinage italien près d'Ancône.

QUESTIONS

3. Quelles sont les énormités déjà contenues dans ce paragraphe? Par rapport au cadre géographique où le conflit prend naissance et aux forces en présence, quel rythme prend dès maintenant le procédé d'amplification?

4. Qu'y a-t-il de comique dans la reddition de Barberousse, et surtout dans la mansuétude de Picrochole? — Que pensez-vous de l'emploi du mot *voici* (ligne 36)?

5. Les deux grands rêves de Picrochole (lignes 39-49) : sur quelles puissances pense-t-il remporter une victoire qu'empereurs et souverains de l'Europe médiévale ont tant de fois tenté d'obtenir?

La fureur guerrière de Picrochole. (Chap. XXXIII.)

Illustration de Gustave Doré. Édition de 1854. — B. N. Imprimés.

De là prendrons Candie[1], Chypre, Rhodes et
les îles Cyclades, et donnerons sur la Morée.
60 Nous la tenons. Saint Treignan[2], Dieu gard
Jerusalem! car le Soudan[3] n'est pas comparable
à votre puissance.

— Je, dit-il, ferai donc bâtir le temple de
Salomon?

65 — Non, dirent-ils, encore, attendez un peu.
Ne soyez jamais tant soudain à vos entreprises.
Savez-vous que disait Octavian Auguste[4]? *Festina lente*[5]. Il vous convient premièrement avoir
l'Asie minor, Carie, Lycie, Pamphile, Cilicie,
70 Lydie, Phrygie, Mysie, Bétune*, Charasie, Satalie,   * Bithynie
Samagarie, Castamena, Luga, Savasta[6], jusques
à Euphrate.

— Verrons-nous, dit Picrochole, Babylone et
le mont Sinay?

75 — Il n'est, dirent-ils, jà* besoin pour cette   * encore
heure. N'est-ce pas assez tracassé* dea** avoir   * pris de peine
transfrété* la mer Hircane[7], chevauché[8] les deux   ** vraiment
Arménies[9] et les trois Arabies[10]? (6)   * traversé à
                                                 cheval

— Par ma foi, dit-il, nous sommes affolés.
80 Ha! pauvres gens!

— Quoi? dirent-ils.

— Que boirons-nous par ces déserts? Car   * armée
Julian Auguste[11] et tout son ost* y moururent
de soif, comme l'on dit.

85 — Nous, dirent-ils, avons jà* donné ordre à   * déjà

---

1. La Crète; 2. Saint écossais, souvent invoqué par les mercenaires d'Écosse, puis
par tous les soldats; 3. Le sultan; 4. C'est-à-dire l'empereur Auguste; 5. Hâte-toi
lentement : maxime d'Auguste, commentée par Érasme dans ses *Adages*; 6. Énumération de provinces ou de villes d'Asie Mineure, groupées par assonance et dont
certaines sont imaginaires (comme *Samagarie* et *Luga*); 7. La mer Caspienne; 8. Traversé à cheval; 9. La Grande et la Petite Arménie, selon la géographie des Anciens;
10. L'Arabie heureuse, l'Arabie déserte, l'Arabie pierreuse (ou Arabie Pétrée);
11. L'empereur Julien l'Apostat, qui fut vraiment vaincu et tué en 363 dans une
expédition contre les Perses. La légende raconta ensuite que son armée, accablée
de chaleur et de soif, avait été ensevelie dans le désert.

=== **QUESTIONS** ===

6. L'évolution du dialogue (lignes 56-78) : pourquoi les conseillers
du roi le contredisent-ils maintenant à tout coup? Quel effet comique
résulte de l'assurance avec laquelle ils modèrent les désirs du souverain
et corrigent ses illusions naïves?

tout. Par la mer Siriace[1], vous avez neuf mille quatorze grands naufs*, chargées des meilleurs vins du monde; elles arrivèrent à Japhes[2]. Là se sont trouvés vingt et deux cents mille chameaux
90 et seize cents éléphants, lesquels aurez pris à une chasse environ Sigeilmes[3], lorsque entrâtes en Libye, et d'abondant* eûtes toute la caravane de la Mecha[4]. Ne vous fournirent-ils de vin à suffisance?

    *navires

    *de plus

95   — Voire*, mais, dit-il, nous ne bûmes point frais.

    *Oui

    — Par la vertu, dirent-ils, non pas d'un petit poisson[5], un preux, un conquérant, un prétendant et aspirant à l'empire univers*, ne peut
100 toujours avoir ses aises. Dieu soit loué qu'êtes venu, vous et vos gens, saufs et entiers jusques au fleuve du Tigre! (7)

    *universel

    — Mais, dit-il, que fait ce pendant la part de notre armée qui déconfit ce vilain humeux* de
105 Grandgousier?

    *buveur

    — Ils ne chôment pas, dirent-ils; nous les rencontrerons tantôt. Ils vous ont pris Bretagne, Normandie, Flandres, Hainaut, Brabant, Artois, Hollande, Zélande; ils ont passé le Rhin par
110 sus le ventre des Suisses et Lansquenets[6] et part d'entre eux ont dompté Luxembourg, Lorraine, la Champagne, Savoie jusques à Lyon, auquel lieu ont trouvé vos garnisons retournants des conquêtes navales de la mer Méditerranée, et
115 se sont rassemblés en Bohême, après avoir mis à sac Souève*, Vuitemberg**, Bavière, Autriche,

    *Souabe
    **Wurtemberg

---

1. Mer de Syrie; 2. Jaffa; 3. Oasis africaine; 4. La caravane de pèlerins qui, tous les ans, partait du Caire pour se rendre à La Mecque sur le tombeau de Mahomet; 5. Juron euphémique, comme nous disons « nom d'un chien »; 6. *Lansquenet :* mercenaire allemand originaire de la Souabe.

--------- **QUESTIONS** ---------

7. Quel est l'effet de surprise produit par la réplique du roi (ligne 82)? Comment les lieutenants de Picrochole font-ils face à cette objection? — Étudiez l'emploi des temps dans les lignes 85-102; quelles intentions les changements de temps traduisent-ils? Comment Picrochole participe-t-il au rêve de ses lieutenants? A-t-il exactement les mêmes intérêts qu'eux?

Moravie, et Styrie. Puis ont donné fièrement*
ensemble sur Lubeck, Norwerge, Swnden Rich[1],
Dace[2], Gotthie[3], Engroneland[4], les Estrelins[5]
120 jusques à la mer Glaciale. Ce fait, conquêtèrent
les îles Orchades, et subjuguèrent Écosse, Angleterre et Irlande. De là, navigants par la mer
Sabuleuse[6] et par les Sarmates[7], ont vaincu et
dompté Prussie, Polonie, Lituanie, Russie,
125 Valache, la Transilvane et Hongrie, Bulgarie,
Turquie, et sont à Constantinople. **(8)**

> — Allons nous, dit Picrochole, rendre à eux
le plus tôt[8], car je veux être aussi empereur de
Thébizonde. Ne tuerons-nous pas tous ces
130 chiens turcs et mahumétistes*?

> — Que diable, dirent-ils, ferons-nous donc[9]?
Et donnerez leurs biens et terres à ceux qui vous
auront servi honnêtement.

> — La raison, dit-il, le veut, c'est équité. Je
135 vous donne la Carmaigne[10], Syrie et toute la
Palestine.

> — Ha! dirent-ils, sire, c'est du bien de vous,
grand merci! Dieu vous fasse bien toujours
prospérer! » **(9)**

140 Là présent était un vieux gentilhomme, éprouvé
en divers hasards et vrai routier de guerre,

* sauvage

* mahométans

---

1. Le royaume de Suède; 2. Le Danemark; 3. Le sud de la Suède; 4. Le Groenland;
5. Les villes de la Ligue hanséatique; 6. La Baltique; 7. En se dirigeant vers le pays
des Sarmates (la Russie); 8. Allons les rejoindre au plus tôt; 9. Sous-entendre : si
nous ne les tuons pas; 10. La Carmanie, en Turquie d'Asie.

--- **QUESTIONS** ---

8. Quel sentiment détermine Picrochole à s'informer du sort de sa
deuxième armée (ligne 103)? Les conseillers sont-ils pris au dépourvu par
la question? — Essayez de reconstituer sur une carte la marche des armées
de Picrochole : le plan d'invasion prévu ici se déroule-t-il selon une
marche rationnelle? Où réside le comique?

9. Le rêve suprême de Picrochole : à quel moment de cette scène
avait-on déjà entrevu chez lui l'esprit de croisade? — En quoi le christianisme de Picrochole diffère-t-il également sur ce point de la foi de
Grandgousier? — L'ambition des hommes de guerre : voit-on mieux
ce qu'ils voulaient dire en comparant Picrochole à un nouvel Alexandre
(ligne 6)? A quel moment leur soif de conquête est-elle satisfaite? Picrochole est-il très généreux à leur égard?

nommé Echéphron[1], lequel, oyant* ces propos,   * entendant
dit : « J'ai grand peur que toute cette entreprise sera semblable à la farce du pot au lait,
145 duquel un cordouannier* se faisait riche par   * cordonnier
rêverie, puis le pot cassé, n'eut de quoi dîner.
Que prétendez-vous par ces belles conquêtes ?
Quelle sera la fin de tant de travaux et traverses ?

— Ce sera, dit Picrochole, que nous retour-
150 nés, reposerons à nos aises. »

Dont dit Echéphron : « Et si par cas* jamais   * malheur
n'en retournez, car le voyage est long et péril-
leux, n'est-ce mieux que dès maintenant nous
reposons, sans nous mettre en ces hasards ?

155 — O ! dit Spadassin, par Dieu, voici un bon
rêveur* ! Mais allons nous cacher au coin de la   * fou
cheminée, et là passons avec les dames notre
vie et notre temps à enfiler des perles, ou à filer
comme Sardanapalus[2]. Qui ne s'aventure n'a
160 cheval ni mule, ce dit Salomon.

— Qui trop, dit Echéphron, s'aventure, perd
cheval et mule, répondit Malcon[3].

— Baste* ! dit Picrochole, passons outre. Je   * Assez
ne crains que ces diables de légions de Grand-
165 gousier. Cependant que nous sommes en Méso-
potamie, s'ils nous donnaient sur la queue, quel
remède ?

— Très bon, dit Merdaille. Une belle petite
commission[4], laquelle vous enverrez ès Mosco-
170 vites, vous mettra en camp[5] pour un moment[6]
quatre cent cinquante mille combattants d'élite.
O ! si vous m'y faites votre lieutenant, je tuerais
un peigne pour un mercier[7] ! Je mors, je rue, je
frappe, j'attrape, je tue, je renie !

---

1. Nom grec signifiant « qui a du bon sens »; **2.** Une tradition médiévale représente Sardanapale filant parmi les femmes; **3.** Dans un dialogue en vers de la fin du XIIe siècle, *les Dits de Marcoul et de Salomon*, un certain Marcoul (devenu ici *Malcon*) oppose à chaque sentence de haute sagesse prononcée par Salomon une vérité de bon sens vulgaire; **4.** *Commission* : ici, autorisation de mobiliser des troupes; **5.** En campagne; **6.** En un moment; **7.** On disait proverbialement « tuer un mercier pour un peigne », c'est-à-dire tuer un homme pour rien. Dans son emportement Merdaille intervertit.

175   — Sus, sus, dit Pricrochole, qu'on dépêche tout, et qui m'aime, si* me suive. » **(10) (11)**   * alors

CHAPITRES XXXIV-XXXV

[Gargantua abandonne Paris et ses études pour secourir son pays. A son arrivée dans ses terres, il est informé de la prise de La Roche-Clermaud et des excès commis par l'ennemi. Sagement, Ponocrates conseille au prince de s'arrêter d'abord chez le seigneur de La Vauguyon, qui a toujours été un fidèle ami de Grandgousier. Là, on délibère avant d'agir et l'on décide d'envoyer d'abord un éclaireur pour s'informer des mouvements de l'ennemi. Gymnaste, maître d'armes de Gargantua, est volontaire pour accomplir cette mission. Mais il tombe sur un fort détachement d'ennemis. Pour sortir de cette situation dangereuse, il tente de se faire passer pour un « pauvre diable »; mais, devant l'incrédulité des assistants, il entreprend de les étonner par ses tours de voltige. Les hommes de Picrochole commencent à se demander s'il ne s'agit pas d'un vrai diable : Gymnaste profite de leur effroi pour frapper d'estoc et de taille quelques-uns des adversaires, puis il se sauve.]

————— **QUESTIONS** —————

10. Analysez les différentes phases de ce dernier épisode : est-ce au nom de la morale qu'Echéphron lance sa critique? Comment réagissent le roi et ses conseillers? — Sur quel ton se termine l'entretien? Est-ce seulement l'ambition et la flatterie qui animent les conseillers militaires du roi?

11. SUR L'ENSEMBLE DU CHAPITRE XXXIII. — Étudiez la composition du chapitre : montrez qu'il est construit selon une technique théâtrale; quel est, en particulier, l'effet produit par l'intervention d'Echéphron? Ce dernier épisode est-il d'ailleurs indispensable?

— Rabelais s'inspire d'une page de Plutarque, où l'on voit le roi Pyrrhus rêver de la conquête du monde, et son conseiller Cinéas lui faire les objections que fait ici Échéphron (voir la Documentation thématique, T. III). Comment Rabelais a-t-il su actualiser le thème antique? Etudiez la fortune de ce thème après Rabelais (Montaigne, I, LXII; Boileau, *Epître au roi ;* La Fontaine, VII, X et VIII, IX; Racine, *Mithridate*, III, I).

— Quel est l'intérêt de la scène : du point de vue psychologique (puissance de l'illusion)? du point de vue politique et social (satire des courtisans et des flatteurs)? du point de vue moral (inanité de l'ambition)?

— Faites le portrait de Picrochole : est-ce une abstraction personnifiée? Pouvait-il, comme on l'a dit, faire penser à Charles Quint? Étudiez également les autres personnages : quelle part de vérité humaine et quelle part de convention trouve-t-on chez les lieutenants de Picrochole et chez Echéphron?

— Logique et absurdité dans le plan de conquête imaginé par les chefs militaires de Picrochole.

CHAPITRE XXXVI

COMMENT GARGANTUA DÉMOLIT LE CHÂTEAU DU GUÉ DE VÈDE, ET COMMENT ILS PASSÈRENT LE GUÉ

Venu que fut[1] [Gymnaste] raconta l'état onquel* avait trouvé les ennemis et du strata-   *dans lequel
gème qu'il avait fait, lui seul, contre toute leur
caterve*, affirmant qu'ils n'étaient que marauds,   *troupe
5 pilleurs et brigands, ignorants de toute discipline militaire, et que hardiment ils[2] se missent
en voie, car il leur serait très facile de les assom-
mer comme bêtes.

Adonc* monta Gargantua sur sa grande   *alors
10 jument, accompagné comme devant avons dit,
et, trouvant en son chemin un haut et grand
arbre (lequel communément on nommait l'arbre
de saint Martin, pour ce qu'ainsi était crû un
bourdon* que jadis saint Martin y planta), dit :   *gourdin
15 « Voici ce qu'il me fallait. Cet arbre me servira
de bourdon et de lance. » Et l'arrachit facilement de terre, et en ôta les rameaux, et le para*   *prépara
pour son plaisir.

Cependant sa jument pissa pour se lâcher le
20 ventre; mais ce fut en telle abondance qu'elle
en fit sept lieues de déluge, et dériva tout le
pissat au gué de Vède, et tant l'enfla devers le
fil de l'eau que toute cette bande des ennemis
furent en grande horreur noyés, excepté aucuns*   *certains
25 qui avaient pris le chemin vers les coteaux à
gauche.

Gargantua, venu à l'endroit du bois de Vède,
fut avisé par Eudémon que dedans le château
était quelque reste des ennemis; pour laquelle
30 chose savoir Gargantua s'écria tant qu'il put :
« Êtes-vous là, ou n'y êtes pas? Si vous y êtes,
n'y soyez plus; si n'y êtes, je n'ai que dire. »

---

1. Dès qu'il fut revenu; 2. *Ils* représente Gargantua et les siens.

Mais un ribaud* canonnier, qui était au machi-
coulis, lui tira un coup de canon et l'atteint*
35 par la temple dextre* furieusement; toutefois ne
lui fit pour ce mal en plus que[1] s'il lui eût jeté
une prune : « Qu'est-ce là, dit Gargantua;
nous jetez-vous ici des grains de raisins? La
vendange vous coûtera cher! » pensant de vrai
40 que le boulet fut un grain de raisin.

 Ceux qui étaient dedans le château, amusés
à la pille[2], entendants le bruit, coururent aux
tours et forteresses, et lui tirèrent plus de neuf
mille vingt et cinq coups de fauconneaux[3] et
45 arquebuses, visants tous à sa tête, et si menu
tiraient contre lui qu'il s'écria : « Ponocrates,
mon ami, ces mouches ici m'aveuglent; baillez-
moi quelque rameau de ces saules pour les
chasser », pensant, des plombées[4] et pierres
50 d'artillerie, que fussent[5] mouches bovines. Ponocrates l'avisa que n'étaient autres mouches que
les coups d'artillerie que l'on tirait du château.
Alors choqua de son grand arbre contre le château, et à grands coups abattit et tours et for-
55 teresses, et ruina tout par terre. Par ce moyen
furent tous rompus et mis en pièces ceux qui
étaient en icelui*.

 De là partant, arrivèrent au pont du moulin
et trouvèrent tout le gué couvert de corps morts
60 en telle foule qu'ils avaient engorgé le cours du
moulin, et c'étaient ceux qui étaient péris au
déluge urinal de la jument. Là furent en pense-
ment* comment ils pourraient passer, vu l'em-
pêchement* de ces cadavres. Mais Gymnaste
65 dit :

 « Si les diables y ont passé, j'y passerai fort
bien.

 — Les diables, dit Eudémon, y ont passé
pour en emporter les âmes damnées.

* vaurien
* atteignit
* droite

* celui-ci

* réflexion
* obstacle

---

 1. Il ne lui fit pas plus mal que si...; **2.** Jeu de mots : jouant à la balle ou occupés
à piller; **3.** *Fauconneau :* petite pièce d'artillerie dont la balle pesait environ 5 kg;
4. *Plombée :* projectile de plomb; **5.** Que c'étaient. Emploi régulier du subjonctif,
la subordonnée exprimant une idée personnelle au sujet du verbe principal et contraire
à la réalité.

« Ponocrates, mon ami, ces mouches ici m'aveuglent. »
(Chap. XXXVI, lignes 46-47.)

Illustration de Samivel. Édit. Delagrave (1934).

70   — Saint Treignan[1]!, dit Ponocrates, par donc
conséquence nécessaire il y passera.

  — Voire*, voire, dit Gymnaste, ou je demeu-   * assurément
rerai en chemin. »

Et, donnant des éperons à son cheval, passa
75 franchement outre, sans que jamais son cheval
eût frayeur des corps morts : car il l'avait accoutumé (selon la doctrine d'Elien[2]) à ne craindre
les âmes ni corps morts — non en tuant les
gens comme Diomède tuait les Thraces et
80 Ulysse mettait le corps de ses ennemis ès* pieds   * aux
de ses chevaux, ainsi que raconte Homère —,
mais en lui mettant un fantôme* parmi son   * simulacre,
foin et en le faisant ordinairement passer sur   mannequin
icelui* quand il lui baillait son avoine.   * celui-ci

85 Les trois autres le suivirent sans faillir, excepté
Eudémon, duquel le cheval enfonça le pied droit
jusques au genou dedans la panse d'un gros et
gras vilain qui était là noyé à l'envers, et ne le
pouvait tirer hors; ainsi demeurait empêtré
90 jusques à ce que Gargantua du bout de son bâton
enfonça le reste des tripes du vilain en l'eau,
cependant que le cheval levait le pied, et (qui
est chose merveilleuse en hippiatrie) fut ledit
cheval guéri d'un surot[3] qu'il avait en celui
95 pied par l'attouchement des boyaux de ce gros
maroufle. (1)

CHAPITRES XXXVII-XLI

[De retour chez son père, Gargantua, en se peignant, fait tomber
de ses cheveux les boulets d'artillerie qui y étaient restés collés.
Grandgousier donne un festin en l'honneur de son fils et de ses

---

1. *Saint Treignan :* voir page 90, note 2; 2. Elien, écrivain latin (vers 170-235),
cite, dans *De natura animalium* (XVI, 25), le procédé de dressage de Diomède et
d'Ulysse dont il va être question; 3. *Surot :* tumeur osseuse, fréquente chez le cheval.

——— **QUESTIONS** ———

1. SUR LE CHAPITRE XXXVI. — Quels aspects significatifs de l'inspiration, de l'art et du goût de Rabelais retrouve-t-on dans ce chapitre?

compagnons. Gargantua mange par mégarde six pèlerins en salade.
Il fait ensuite venir frère Jean pour le féliciter de ses exploits, et, tout
en festoyant, on disserte gaiement des avantages du froc et d'autres
sujets, par exemple des raisons pour lesquelles les moines ne sont
pas reçus dans le monde ou pour lesquelles les uns ont le nez plus
long que les autres. Puis, après que frère Jean a endormi ses compagnons en leur lisant des psaumes et les a réveillés par ses chansons,
on part à l'ennemi.]

CHAPITRE XLII

COMMENT LE MOINE
DONNA COURAGE À SES COMPAGNONS
ET COMMENT IL PENDIT À UN ARBRE

Or s'en vont les nobles champions à leur
aventure[1], bien délibérés d'entendre quelle rencontre[2] faudra poursuivre, et de quoi se faudra
contregarder* quand viendra la journée de la   * garder
5 grande et horrible bataille. Et le moine leur
donne courage, disant :

« Enfants, n'ayez ni peur ni doute, je vous
conduirai sûrement. Dieu et saint Benoît[3] soient
avec nous ! Si j'avais la force de même* le cou-   * de même que
10 rage, par la mort bieu ! je vous les plumerais
comme un canard. Je ne crains rien fors* l'artil-   * sauf
lerie. Toutefois je sais quelque oraison que m'a
baillée le sous secrétain* de notre abbaye,   * sacristain
laquelle garantit la personne de toutes bouches
15 à feu. Mais elle ne me profitera de rien, car je
n'y ajoute point de foi. Toutefois mon bâton
de croix fera diables[4]. Par Dieu ! qui fera la
cane[5] de vous autres, je me donne au diable si
je ne le fais moine en mon lieu*, et l'enchevêtre   * place

1. Formule traditionnelle des récits de chevalerie; 2. Ayant bien délibéré pour
comprendre quelle rencontre...; 3. *Saint Benoît* : patron de l'ordre auquel appartient
frère Jean; 4. Fera merveilles. L'expression est amusante pour un bâton de croix;
5. Plongera comme une cane, par peur (voir *caner*, avoir peur).

20 de mon froc[1]; il porte médecine* à couardise   * remède
de gens. (1)

    « Avez point ouï parler du lévrier de monsieur
de Meurles[2] qui ne valait rien pour les champs?
Il lui mit un froc au col; par le corps Dieu! il
25 n'échappait ni lièvre, ni renard devant lui. [...] »

    Le moine disant ces paroles en colère, passa
sous un noyer, tirant* vers la Saulsaie, et embro-   * se dirigeant
cha la visière de son heaume à la roupte* d'une   * brisure
grosse branche de noyer. Ce nonobstant donna
30 fièrement* des éperons à son cheval, lequel était   * vivement
chatouilleur à la pointe, en manière que le che-
val bondit en avant, et le moine, voulant défaire
sa visière du croc[3], lâche la bride, et de la main
se pend aux branches, cependant que le cheval
35 se dérobe dessous lui. Par ce moyen demeura le
moine pendant au noyer, et criant à l'aide et
au meurtre, protestant* aussi de trahison.   * se plaignant

    Eudémon premier l'aperçut, et appelant Gar-
gantua : « Sire, venez et voyez Absalon pendu[4]. »
40 Gargantua venu considéra la contenance du
moine et la forme* dont il pendait, et dit à Eudé-   * façon
mon : « Vous êtes mal rencontré[5], le comparant
à Absalon, car Absalon se pendit par les cheveux, mais le moine, ras de tête, s'est pendu par
45 les oreilles.

    — Aidez-moi, dit le moine, de par le diable!
N'est-il pas bien le temps de jaser? Vous me
semblez les prêcheurs décrétalistes[6] qui disent
que quiconque verra son prochain en danger de

---

    1. Le harnache avec mon froc; 2. Allusion à quelque tradition inconnue de nous;
3. De la branche crochue; 4. Absalon, fils de David, fuyant à cheval après l'échec
de sa révolte, resta suspendu par les cheveux aux branches d'un chêne, selon la Bible
(II Rois, XVIII, 9-16); 5. Vous êtes mal tombé, vous avez parlé mal à propos; 6. On
appelait *Décrétales* les lettres officielles des papes ayant pour objet d'établir quelque
règlement ou de trancher des questions de discipline. Les commentateurs des Décrétales eurent souvent l'esprit trop formaliste et trop théorique, c'est pourquoi Rabelais leur attribue cette opinion (voir *Quart Livre*, LIII).

    ■ **QUESTIONS**

    1. Quels sont dans ce début de chapitre les détails dont un esprit
pieux pourrait s'offusquer? Pourquoi Rabelais met-il ici l'accent sur
l'assurance du moine?

50 mort, il le doit, sur peine d'excommunication
   trisulce*, plutôt admonester de soi confesser et   * triple
   mettre en état de grâce que de lui aider.

   « Quand donc je les verrai tombés en la rivière
   et prêts d'être noyés, en lieu de les aller quérir
55 et bailler* la main, je leur ferai un beau et long   * tendre
   sermon *de contemptu mundi et fuga saeculi*[1], et
   lorsqu'ils seront raides morts, je les irai pêcher.

   — Ne bouge, dit Gymnaste, mon mignon,
   je te vais quérir, car tu es gentil petit *monachus** :   * moine

> *Monachus in claustro*
> *Non valet ova duo ;*
> *Sed quando est extra,*
> *Bene valet triginta*[2].

60 « J'ai vu des pendus plus de cinq cents, mais
   je n'en vis onques* qui eût meilleure grâce en   * jamais
   pendillant, et si je l'avais aussi bonne, je voudrais ainsi pendre toute ma vie.

   — Aurez-vous, dit le moine, tantôt assez
65 prêché? Aidez-moi de par Dieu, puisque de par
   l'Autre[3] ne voulez. Par l'habit que je porte, vous
   en repentirez, *tempore et loco prelibatis*[4]. » (2)

   Alors descendit Gymnaste de son cheval, et,
   montant au noyer, souleva le moine par les
70 goussets[5] d'une main, et de l'autre défit sa
   visière du croc de l'arbre, et ainsi le laissa tomber en terre, et soi après. Descendu que fut[6],
   le moine se défit de tout son harnais*, et jeta   * armure
   l'une pièce après l'autre parmi le champ, et
75 reprenant son bâton de la croix, remonta sur
   son cheval, lequel Eudémon avait retenu à la

---

1. Sur le mépris du monde (vie mondaine) et la fuite du siècle (même sens que monde); 2. Un moine dans un cloître ne vaut pas deux œufs, mais quand il en est sorti, il en vaut bien trente; 3. *L'autre* est le diable; généralement, on n'a recours à lui qu'après avoir invoqué Dieu sans succès. Le moine inverse l'ordre normal; 4. En temps et lieu voulu; 5. *Gousset* : pièce de l'armure protégeant les aisselles; 6. Lorsqu'il fut descendu.

--------- **QUESTIONS** ---------

2. Analysez les éléments comiques de cet épisode : burlesque, comique de situation, satire. — Montrez que frère Jean continue à faire un étrange religieux : quel est le trait dominant de son caractère?

fuite[1]. Ainsi s'en vont joyeusement, tenants le chemin de la Saulsaie. (3) (4)

CHAPITRE XLIII

COMMENT L'ESCARMOUCHE DE PICROCHOLE FUT RENCONTRÉE PAR GARGANTUA ET COMMENT LE MOINE TUA LE CAPITAINE TIRAVANT, ET PUIS FUT FAIT PRISONNIER ENTRE LES ENNEMIS

Picrochole, à la relation de ceux qui avaient évadé à la route* lorsque Tripet fut étripé, fut épris* de grand courroux oyant** que les diables avaient couru sur ses gens, et tint son conseil
5 toute la nuit, auquel Hâtiveau et Touquedillon conclurent que sa puissance était telle qu'il pourrait défaire tous les diables d'enfer s'ils y venaient, ce que Picrochole ne croyait du tout, aussi ne s'en défiait-il[2]. (1)

10 Pourtant envoya sous la conduite du comte Tiravant, pour découvrir le pays, seize cents chevaliers, tous montés sur chevaux légers, en escarmouche*, tous bien aspergés d'eau bénite et chacun ayant pour leur signe[3] une étole en
15 écharpe, à toutes aventures, s'ils rencontraient

* déroute
* pris
** entendant

* groupe de combat

---

1. Avait empêché de fuir; 2. Picrochole ne croyait pas que tous les diables de l'enfer l'attaqueraient, aussi n'en avait-il pas peur; 3. Les soldats d'un même parti qui n'avaient pas à cette époque d'uniforme se reconnaissaient à un insigne que tous portaient.

--- QUESTIONS ---

3. Quelle signification donner au geste de frère Jean se débarrassant de son armure?

4. SUR L'ENSEMBLE DU CHAPITRE XLII. — Quelle est la moralité de cette aventure survenue à frère Jean?

1. Touquedillon et Hâtiveau pouvaient-ils aboutir à une autre conclusion, et était-ce l'habitude de Picrochole de se défier de quoi que ce fût?

les diables, que* par vertus tant de cette eau   * afin que
grégorienne[1] que des étoles iceux* fissent dis-   * ceux-ci
paraître et évanouir. Coururent donc jusques
20 près La Vauguyon et la Maladerie[2], mais onques*   * jamais
ne trouvèrent personne à qui parler, dont*   * aussi
repassèrent par le dessus, et en la loge et tugure*   * cabane
pastoral, près le Couldray, trouvèrent les cinq
pèlerins, lesquels liés et bafoués* emmenèrent   * garrottés
comme s'ils fussent espies*, nonobstant les   * espions
25 exclamations, adjurations et requêtes qu'ils
fissent. (2)

Descendus de là vers Seuillé, furent entendus
par Gargantua, lequel dit à ses gens :

« Compagnons, il y a ici rencontre, et sont
30 en nombre trop plus dix fois que nous. Cho-
querons nous sur eux?

— Que diable, dit le moine, ferons-nous donc?
Estimez-vous les hommes par nombre et non
par vertus et hardiesse? » Puis s'écria : « Cho-
35 quons, diables, choquons! » (3)

Ce qu'entendant les ennemis pensaient certai-
nement que fussent vrais diables, dont commencèrent fuir à bride avalée[3], excepté Tiravant,
lequel coucha sa lance en l'arrêt et en férut*   * frappa
40 à toute outrance* le moine au milieu de la poi-   * force
trine; mais rencontrant le froc horrifique, rebou-
cha* par le fer comme si vous frappiez d'une   * s'émoussa
petite bougie contre une enclume. Adonc le
moine avec son bâton de croix lui donna entre
45 col et collet sur l'os acromion[4] si rudement qu'il
l'étonna* et fit perdre tout sens et mouvement,   * assomma

---

1. Bénie selon la formule de saint Grégoire; 2. *La Maladerie* : aujourd'hui Saint-Lazare, au sud de Chinon; 3. A bride baissée, à bride abattue, c'est-à-dire à toute vitesse; 4. La crête de l'omoplate.

QUESTIONS
---

2. Comment se confirment les convictions religieuses que Picrochole avait déjà proclamées au chapitre XXXIII? Quel aspect à la fois ridicule et inquiétant de certains défenseurs de la foi Rabelais met-il en lumière? Qu'y a-t-il en conséquence de comique dans le traitement que Picrochole et ses troupes infligent aux pèlerins?

3. Montrez comment le moine est toujours fidèle à lui-même.

et tomba ès* pieds du cheval. Et voyant l'étole   * aux
qu'il portait, dit à Gargantua :

« Ceux-ci ne sont que prêtres : ce n'est qu'un
50 commencement de moine. Par saint Jean, je
suis moine parfait : je vous en tuerai comme
des mouches. » **(4)**

Puis le grand galop courut après, tant qu'il
attrapa les derniers, et les abattaient comme
55 seille*, frappant à tord et à travers.   * seigle

Gymnaste interrogea sur l'heure Gargantua
s'ils les devaient poursuivre. A quoi dit
Gargantua :

« Nullement, car selon la vraie discipline mili-
60 taire jamais ne faut mettre son ennemi en lieu
de désespoir, parce que telle nécessité lui multiplie sa force et accroît le courage qui jà était   * abattu
déjet* et failli** et n'a meilleur remède de salut   ** tombé
  * abasourdis
à gens estommis* et recrus** que de n'espérer   ** exténués
65 salut aucun. Quantes* victoires ont été tollues**   * combien de
  ** enlevées
des mains des vainqueurs par les vaincus, quand
ils ne se sont contentés de raison, mais ont
attempté* du tout** mettre à internition*** et   * tenté
  ** totalement
détruire totalement leurs ennemis sans en vou-   *** massacre
70 loir laisser un seul pour porter les nouvelles !
Ouvrez toujours à vos ennemis toutes les portes
et chemins, et plutôt leur faites un pont d'argent
afin de les renvoyer. » **(5) (6)**

[Frère Jean, qui, sans écouter les recommandations de Gargantua,
a continué la poursuite, est fait prisonnier.]

QUESTIONS

4. La valeur parodique du combat singulier de Tiravant et de frère
Jean : de quel côté se trouve la puissance magique qui donne la victoire?
Que pense Rabelais de l'efficacité militaire des étoles et de l'eau bénite?
Qu'y a-t-il de comique dans la fierté de frère Jean?

5. Pourquoi Rabelais place-t-il dans la bouche de Gargantua ces
conseils de stratégie empruntés au roi Pyrrhus? Quelle vertu Gargantua
symbolise-t-il ici en face de l'impétuosité de frère Jean?

6. SUR L'EXTRAIT DU CHAPITRE XLIII. — Comparez les trois conceptions
de la guerre qui sont ici représentées respectivement par Picrochole,
par frère Jean et par Gargantua.

CHAPITRES XLIV-XLV

[Frère Jean se libère et aide ses compagnons à parachever leur victoire. Ce faisant, il capture Touquedillon et libère les pèlerins qui, après un séjour dans la bouche de Gargantua, avaient été capturés par les troupes de Picrochole. Grandgousier les réconforte et leur conseille de renoncer à la stupide coutume des pèlerinages.]

CHAPITRE XLVI

COMMENT GRANDGOUSIER TRAITA HUMAINEMENT TOUQUEDILLON PRISONNIER

Touquedillon fut présenté à Grandgousier et interrogé par icelui* sur l'entreprise et affaires de Picrochole, quelle fin il prétendait* par ce tumultuaire* vacarme. A quoi répondit que sa
5 fin et sa destinée* était de conquêter tout le pays, s'il pouvait, pour l'injure* faite à ses fouaciers.

   « C'est, dit Grandgousier, trop entrepris : qui trop embrasse peu étreint. Le temps n'est plus
10 d'ainsi conquêter les royaumes, avec dommage de son prochain frère chrétien. Cette imitation des anciens Hercules, Alexandres, Annibals, Scipions, Césars, et autres tels, est contraire à la profession* de l'évangile, par lequel nous est
15 commandé garder, sauver*, régir et administrer chacun ses pays et terres, non hostilement envahir les autres, et ce que les Sarrasins et barbares jadis appelaient prouesses, maintenant nous appelons briganderies et méchancetés. Mieux
20 eût-il fait soi contenir en sa maison, royalement la gouvernant, qu'insulter* en la mienne, hostilement la pillant, car par bien la gouverner[1] l'eût augmentée, par me piller sera détruit.

   « Allez-vous-en, au nom de Dieu, suivez
25 bonne entreprise, remontrez à votre roi les

Notes marginales :
* celui-ci
* visait
* tumultueux
* dessein
* outrage
* leçon
* protéger
* envahir

---

1. En la gouvernant bien.

erreurs que connaîtrez, et jamais ne le conseillez
ayant égard à votre profit particulier, car avec
le commun est aussi le propre perdu[1]. Quant est
de votre rançon, je vous la donne entièrement,
30 et veux que vous soient rendues armes et
cheval. (1)

   « Ainsi faut-il faire entre voisins et anciens
amis, vu que cette notre différence* n'est point   * différend
guerre proprement, comme Platon, li. V, *de*
35 *Rep.*, voulait être non guerre nommée, ains*   * mais
sédition[2], quand les Grecs mouvaient armes[3]
les uns contre les autres; ce que si par male*   * mauvaise
fortune advenait, il commande qu'on use de
toute modestie*. Si guerre la nommez, elle n'est   * modération
40 que superficiaire*, elle n'entre point au profond   * superficielle
cabinet de nos cœurs, car nul de nous n'est
outragé en son honneur, et n'est question, en
somme totale, que de rhabiller* quelque faute   * réparer
commise par nos gens, j'entends et vôtres et
45 nôtres, laquelle, encore que connussiez, vous
deviez laisser couler outre*, car les personnages   * laisser passer
querellants étaient plus à contemner* qu'à   * mépriser
ramentevoir*, mêmement** leur satisfaisant   * se rappeler
selon le grief, comme je me suis offert. Dieu   ** surtout
50 sera juste estimateur de notre différend, lequel
je supplie plutôt par mort me tollir* de cette   * ôter
vie et mes biens dépérir* devant mes yeux, que   * perdre
par moi ni les miens en rien soit offensé. » (2)

---

   1. Le bien commun, ou public, étant la somme des intérêts propres ou particuliers, la ruine du bien commun entraîne celle des intérêts individuels; 2. Rabelais traduit ici non le texte de Platon, mais presque textuellement une phrase d'Érasme commentant Platon (*la République*, livre V) : « *Plato seditionem vocat, non bellum, quoties Graeci secum belligerantur, idque et quando incidisset, modestissume jubet geri* » (*Institutio principis christiani*) ; 3. Prenait les armes.

   QUESTIONS

   1. Analysez les arguments successivement développés ici : en quoi sont-ils diamétralement opposés à ceux que soutenaient les conseillers de Picrochole au chapitre XXXIII? — La morale politique de Grandgousier : sur quels principes se fonde son caractère « moderne »? — L'attitude de Grandgousier à l'égard de l'ennemi vaincu : montrez qu'elle confirme l'attitude déjà adoptée au chapitre XXXI; comment s'allient générosité et habileté?

   2. Quelle valeur l'autorité de Platon apporte-t-elle aux propos tenus ici? — Est-ce seulement le respect des traités qu'invoque ici Grandgousier? Les rapports entre l'intérêt public et les intérêts privés.

Ces paroles achevées, appela le moine, et
55 devant tous lui demanda : « Frère Jean, mon
bon ami, êtes-vous qui avez pris le capitaine
Touquedillon ici présent?

— Sire, dit le moine, il est présent; il a âge
et discrétion*; j'aime mieux que le sachez par   * discernement
60 sa confession* que par ma parole. »   * aveu

Adonc dit Touquedillon : « Seigneur, c'est
lui véritablement qui m'a pris, et je me rends
son prisonnier franchement.

— L'avez-vous, dit Grandgousier au moine,
65 mis à rançon?

— Non, dit le moine; de cela je ne me soucie.

— Combien, dit Grandgousier, voudriez-vous
de sa prise?

— Rien, rien, dit le moine, cela ne me mène
70 pas[1]. » (3)

Lors commanda Grandgousier que, présent
Touquedillon, fussent comptés au moine soixante
et deux mille saluts[2] pour celle prise, ce que fut
fait, cependant qu'on fit la collation audit Tou-
75 quedillon, auquel demanda Grandgousier s'il
voulait demeurer avec lui ou si mieux aimait
retourner à son roi. Touquedillon répondit qu'il
tiendrait le parti lequel il lui conseillerait :
« Donc, dit Grandgousier, retournez à votre
80 roi, et Dieu soit avec vous! »

Puis lui donna une belle épée de Vienne[3],
avec le fourreau d'or fait à belles vignettes
d'orfèvrerie, et un collier d'or pesant sept cents
deux mille marcs[4], garni de fines pierreries, à
85 l'estimation de cent soixante mille ducats[5], et
dix mille écus[6] par présent honorable. Après

---

1. Ce n'est pas cela qui me fait agir; 2. *Salut :* monnaie d'or créée par le roi d'Angleterre Henri V alors qu'il occupait Paris; une de ses faces représentait la salutation
angélique, sa valeur était de 12 francs-or; 3. Il s'agit de Vienne en Dauphiné, dont
les armuriers étaient réputés; 4. Un *marc* français équivaut à près d'un quart de
kilogramme; 5. *Ducat :* monnaie vénitienne valant environ 12 francs-or; 6. Les
écus d'or au soleil valaient un peu moins que le salut.

--- **QUESTIONS** ---

3. Montrez comment ce nouveau trait de caractère s'allie bien avec
ce que nous connaissons déjà de frère Jean.

ces propos, monta Touquedillon sur son cheval.
Gargantua, pour sa sûreté, lui bailla trente
hommes d'armes et six vingts* archers sous la
90 conduite de Gymnaste, pour le mener jusques ès
portes de la Roche-Clermaud si besoin était.

    Icelui* départi**, le moine rendit à Grand-
gousier les soixante et deux mille saluts qu'il
avait reçus, disant : « Sire, ce n'est ores* que
95 vous devez faire tels dons. Attendez la fin de
cette guerre, car l'on ne sait quels affaires
pourraient survenir, et guerre faite sans bonne
provision d'argent n'a qu'un soupirail* de
vigueur. Les nerfs des batailles sont les pécunes*[1].
100   — Donc, dit Grandgousier, à la fin je vous
contenterai par honnête récompense, et tous
ceux qui m'auront bien servi. » **(4) (5)**

* cent vingt

* celui-ci
** parti

* maintenant

* soupçon

* argent

CHAPITRE XLVII

COMMENT GRANDGOUSIER MANDA QUÉRIR SES LÉGIONS, ET COMMENT TOUQUEDILLON TUA HÂTIVEAU, PUIS FUT TUÉ PAR LE COMMANDEMENT DE PICROCHOLE

[Tous les alliés de Grandgousier, se conformant à leurs engage-
ments, lui proposent des secours en argent et en hommes pour sou-
tenir la guerre qui lui est imposée. Sans refuser leur aide, Gargantua
organise avec prudence ses forces militaires. Les choses ne vont pas
aussi bien du côté de Picrochole.]

───────────

1. Maxime courante chez les écrivains de l'Antiquité; Érasme l'avait relevée
dans ses *Apophtegmes*.

─────── **QUESTIONS** ───────

4. Les motifs de la générosité de Grandgousier : *a*) à l'égard de Touquedillon; *b*) à l'égard de frère Jean. Comment chacun des deux béné-
ficiaires se comporte-t-il à l'égard de son bienfaiteur?

5. SUR L'ENSEMBLE DU CHAPITRE XLVI. — Quelle est la double leçon
que donnent d'une part Grandgousier, d'autre part frère Jean?

    — La personnalité de frère Jean : en quoi celui-ci se distingue-t-il
ici encore des militaires de carrière? Doit-on le considérer comme un
héros exemplaire?

Touquedillon, arrivé, se présenta à Picro- | * conta
chole et lui compta* au long ce qu'il avait et
fait et vu. A la fin conseillait, par fortes paroles, | * arrangement
qu'on fit appointement* avec Grandgousier,
5 lequel il avait éprouvé le plus homme de bien
du monde, ajoutant que ce n'était ni preu* ni | * profit
raison molester ainsi ses voisins, desquels jamais
n'avaient eu que tout bien, et, au regard du
principal, que jamais ne sortiraient de cette
10 entreprise qu'à leur grand dommage et malheur,
car la puissance de Picrochole n'était telle
qu'aisément ne les pût Grandgousier mettre à
sac. Il n'eut achevé cette parole que Hâtiveau
dit tout haut :

15 « Bien malheureux est le prince qui est de
tels gens servi, qui tant facilement sont corrom-
pus, comme je connais Touquedillon, car je
vois son courage tant changé que volontiers se
fût adjoint à nos ennemis pour contre nous
20 batailler et nous trahir, s'ils l'eussent voulu | * de même que
retenir; mais comme* vertu est de tous, tant amis | * méchanceté
qu'ennemis, louée et estimée, aussi méchanté* | * celle-ci
est tôt connue et suspecte, et, posé que d'icelle*
les ennemis se servent à leur profit, si ont-ils tou-
25 jours les méchants et traîtres en abomination. »

A ces paroles, Touquedillon, impatient*, tira | * perdant patience
son épée et en transperça Hâtiveau un peu
au-dessus de la mamelle gauche, dont mourut
incontinent*, et tirant son coup du corps, dit | * immédiatement
30 franchement :

« Ainsi périsse qui féaux* serviteurs blâmera ! » | * loyaux

Picrochole soudain entra en fureur et, voyant
l'épée et le fourreau tant diaprés[1], dit :

« T'avait-on donné ce bâton pour en ma pré- | * méchamment
35 sence tuer malignement* mon tant bon ami
Hâtiveau ? »

Lors commanda à ses archers qu'ils le missent
en pièces, ce que fut fait sur l'heure tant cruel-
lement que la chambre était toute pavée de

---

1. *Diapré* : marqué de couleurs vives; ici, taché de sang.

40 sang : puis fit honorablement inhumer le corps
de Hâtiveau et celui de Touquedillon jeter par-
dessus les murailles en la vallée. Les nouvelles de
ces outrages furent sues par toute l'armée, dont
plusieurs commencèrent murmurer contre Picro-
45 chole, tant que Grippepinault lui dit :

« Seigneur, je ne sais quelle issue sera de cette
entreprise. Je vois vos gens peu confermés* en   * rassurés
leurs courages. Ils considèrent que sommes ici
mal pourvus de vivres, et jà* beaucoup diminués   * déjà
50 en nombre par deux ou trois issues. Davantage,
il vient grand renfort de gens à vos ennemis. Si
nous sommes assiégés une fois, je ne vois point
comment ce ne soit à notre ruine totale.

— Bren*, bren! dit Picrochole; vous semblez   * merde
55 les anguilles de Melun : vous criez davant*   * avant
qu'on vous écorche[1]. Laissez-les seulement
venir. » (1)

CHAPITRES XLVIII-XLIX

[Gargantua donne l'assaut à la Roche-Clermaud. Une sortie
tentée par Picrochole et une partie de ses troupes tourne au désa-
vantage du roi, cependant qu'une habile manœuvre menée par
frère Jean permet à celui-ci de pénétrer dans la ville et d'en ouvrir
les portes au gros de l'armée de Gargantua.

Picrochole, se voyant perdu, prend la fuite. On ne sait ce qu'il
est advenu de lui.]

1. Vieux dicton d'origine obscure.

──────── QUESTIONS ────────

1. SUR LE CHAPITRE XLVII. — Dans quelle mesure ce chapitre confirme-
t-il l'efficacité de la politique menée par Grandgousier? Était-ce pourtant
ce résultat que le roi avait espéré en se montrant généreux à l'égard de
Touquedillon?

— L'importance du problème évoqué ici : pourquoi Touquedillon
est-il taxé de trahison du moment qu'il propose une négociation raisonnable? Comment le bellicisme et le militarisme faussent-ils les valeurs
morales?

— La responsabilité de Picrochole dans l'affaiblissement de sa propre
puissance.

La prise de la Roche-Clermaud. (Chap. XLVIII.)

Illustration de Samivel. Édition Delagrave (1934).

Grandgousier, ayant Gargantua à ses côtés, récompense ses officiers après la victoire. (Chap. LI.)

Édition de 1744. — B. N. Imprimés.

CHAPITRE L

LA CONCION[1] QUE FIT GARGANTUA ÈS VAINCUS

« Nos pères, aïeux et ancêtres de toute mémoire
ont été de ce sens et cette nature que, des batailles
par eux consommées, ont pour signe mémorial*   * commémoratif
des triomphes et victoires plus volontiers érigé
5 trophées et monuments ès* cœurs des vaincus,   * dans les
par grâce*, que ès terres par eux conquêtées,   * mansuétude
par architecture, car plus estimaient la vive sou-
venance des humains acquise par libéralité que
la mute* inscription des arcs, colonnes et pyra-   * muette
10 mides sujette ès* calamités de l'air et envie   * aux
d'un chacun. (1)

« Souvenir assez vous peut de la mansuétude
dont ils usèrent envers les Bretons, à la journée
de Saint-Aubin-du-Cormier[2] et à la démolition
15 de Parthenay[3]. Vous avez entendu, et entendant admirez le bon traitement qu'ils firent ès*   * aux
barbares de Spagnola[4] qui avaient pillé, dépo-
pulé* et saccagé les fins** maritimes d'Olonne[5]   * dévasté
et Talmondais[6]. Tout ce ciel a été rempli des   ** frontières
20 louanges et gratulation* que vous-mêmes et vos   * félicitations
pères fîtes lorsque Alpharbal[7], roi de Canarre,
non assouvi de ses fortunes[8], envahit furieusement le pays d'Aunis, exerçant la piratique* en   * piraterie
toutes les îles Armoriques[9] et régions confines*. * limitrophes
25 Il fut, en juste bataille navale, pris et vaincu de
mon père auquel Dieu soit garde et protecteur.

---

1. *Concion* : harangue ; 2. Où La Trémoille défit François II, duc de Bretagne
en 1488 ; 3. Place conquise et démantelée par Charles VIII en 1487 ; 4. Ile d'Haïti ;
5. Les Sables-d'Olonne. Cette expédition des Haïtiens est évidemment de pure fantaisie ; 6. *Talmondais* : région de la Vendée proche des Sables-d'Olonne ; 7. Roi
imaginaire ; 8. Que ses coups de chance n'avaient pas rassasié ; 9. Noirmoutier,
Yeu, Belle-Ile, etc.

▬ QUESTIONS ▬

1. Pourquoi est-ce Gargantua et non Grandgousier qui prononce cette
harangue ? — Comment le thème de tout le discours est-il annoncé dès
le début ? — Le ton et le style : à quel registre revient-on dans ce chapitre ?

Mais quoi? Au cas* que les autres rois et empe-   * lieu
reurs, voire* qui se font nommer catholiques,   * même ceux
l'eussent misérablement traité, durement empri-
30 sonné, et rançonné extrêmement[1], il le traita
courtoisement, amiablement, le logea avec soi
en son palais et, par incroyable débonnaireté*,   * bonté
le renvoya en sauf-conduit, chargé de dons,
chargé de grâce, chargé de toutes offices*   * services
35 d'amitié. (2)

« Qu'en est-il avenu? Lui, retourné en ses
terres, fit assembler tous les princes et états de
son royaume, leur exposa l'humanité qu'il avait
en nous connue, et les pria sur ce délibérer, en
40 façon que le monde y eût exemple, comme avait
jà en nous de gracieuseté honnête, aussi en eux
de honnêteté gracieuse[2]. Là fut décrété, par
consentement unanime, que l'on offrirait entièrement leurs terres[3], domaines et royaume, à en
45 faire selon notre arbitre. [...] (3)

« Ne voulant donc aucunement dégénérer de
la débonnaireté* héréditaire de mes parents,   * bonté
maintenant je vous absous et délivre, et vous
rends francs et libères* comme par avant.   * libres

50 « D'abondant*, serez à l'issue des portes payés   * de plus
chacun pour trois mois, pour vous pouvoir retirer
en vos maisons et familles, et vous conduiront
en saulveté* six cents hommes d'armes et huit   * sécurité
mille hommes de pied sous la conduite de mon
55 écuyer Alexandre, afin que par les paysans ne
soyez outragés[4]. Dieu soit avec vous. Je regrette

---

1. Allusion à la manière dont Charles Quint traita François Ier, fait prisonnier à la bataille de Pavie (1525), et aux conditions qu'il lui imposa au traité de Madrid (1526); 2. Générosité bienveillante, bienveillance généreuse; 3. Leurs renvoie à *on*, c'est-à-dire aux Canarriens; 4. Les paysans, souvent malmenés par les hommes d'armes, se vengeaient sur les troupes en déroute.

─────── **QUESTIONS** ───────

2. Montrez comment les rappels historiques font de Rabelais un pro-
pagandiste de la monarchie française. En quoi l'épisode imaginaire
d'Alpharbal concourt-il à la même démonstration?

3. Quelle est la leçon de cette édifiante histoire? Rabelais n'a-t-il pas,
comme tant d'humanistes de sa génération, une certaine tendance à
l' « utopie »?

de tout mon cœur que n'est[1] ici Picrochole, car
je lui eusse donné à entendre que, sans mon
vouloir, sans espoir d'accroître ni mon bien ni
60 mon nom, était faite cette guerre. Mais puisqu'il
est éperdu* et ne sait-on où ni comment est   * perdu
évanoui*, je veux que son royaume demeure   * disparu
entier à son fils, lequel par ce qu'est par trop
bas d'âge (car il n'a encore cinq ans accomplis)
65 sera gouverné et instruit par les anciens princes
et gens savants du royaume. Et par autant*   * étant donné
qu'un royaume ainsi désolé serait facilement
ruiné si on ne refrénait la convoitise et avarice* * cupidité
des administrateurs d'icelui, j'ordonne et veux
70 que Ponocrates soit sur tous ses gouverneurs
entendant[2], avec autorité à ce requise, et assidu
avec l'enfant jusques à ce qu'il le connaîtra
idoine* de pouvoir par soi régir et régner. (4)   * capable

   « Je considère que facilité trop énervée et
75 dissolue de pardonner ès* malfaisants leur est   * aux
occasion de plus légèrement[3] derechef mal faire,
par cette pernicieuse confiance de grâce. Je
considère que Moïse, le plus doux homme qui
de son temps fût sur la terre, aigrement* punis-   * sévèrement
80 sait les mutins et séditieux on* peuple d'Israël.   * dans le
Je considère que Jules César, empereur[4] tant
débonnaire* que de lui dit Cicéron que sa for-   * clément
tune rien plus souverain n'avait sinon qu'il pouvait, et sa vertu meilleur n'avait sinon qu'il
85 voulait toujours sauver et pardonner à un cha-
cun[5], icelui* toutefois, ce nonobstant, en certains * celui-ci

----

1. Les verbes qui expriment un sentiment n'exigent pas encore le subjonctif;
2. Ait autorité sur tous ses gouverneurs; 3. Avec plus de légèreté; 4. Non au sens
moderne, mais au sens du latin *imperator*; 5. L'avantage le plus considérable de sa
situation, c'est qu'il pouvait pardonner; la preuve la plus haute de sa vertu, c'est
qu'il le voulait toujours (Cicéron, *Pro Ligario*, XII).

QUESTIONS

4. Pourquoi tant de mansuétude à l'égard de Picrochole? Quelle
conception de la légitimité du souverain est défendue ici par Gargantua?
— En imposant le choix de Ponocrates, Gargantua ne se permet-il pas
une immixtion dans les affaires de son voisin? Quelle est la signification
de ce choix? Comment Rabelais montre-t-il que la prévoyance doit être
l'une des qualités essentielles du souverain?

endroits* punit rigoureusement les auteurs de rebellion. (5)   * cas

« A* ces exemples, je veux que me livrez avant   * suivant
90 le départir* premièrement ce beau Marquet, qui   * départ
a été source et cause première de cette guerre
par sa vaine outrecuidance; secondement, ses
compagnons fouaciers, qui furent négligents de
corriger sa tête folle sur l'instant; et finalement
95 tous les conseillers, capitaines, officiers et domestiques de Picrochole, lesquels l'auraient incité,
loué, ou conseillé de sortir[1] ses limites pour
ainsi nous inquiéter. » (6) (7)

CHAPITRE LI

[Gargantua traite humainement les prisonniers, fait inhumer les morts et soigner les blessés.

Quant aux officiers de l'armée victorieuse, ils sont reçus par Grand-gousier, qui les comble de cadeaux et leur donne des châteaux et des terres.]

CHAPITRE LII

COMMENT GARGANTUA FIT BATIR POUR LE MOINE L'ABBAYE DE THÉLÈME

Restait seulement le moine à pourvoir, lequel Gargantua voulait faire abbé de Seuillé, mais il

---

1. Construction transitive (à comparer à celle du verbe *entrer*, voir page 74, note 1).

———— QUESTIONS ————

5. Montrez comment ce paragraphe constitue un tournant dans la harangue. Sous quelles autorités Gargantua se place-t-il?

6. Pourquoi Gargantua est-il plus ferme à l'endroit des conseillers de Picrochole qu'il ne l'eût été à l'endroit de Picrochole lui-même?

7. SUR L'ENSEMBLE DU CHAPITRE L. — Comment, en résumé, Rabelais conçoit-il les conditions d'une paix juste et durable?
— Étudiez la composition et le style de cette harangue : en rappro-chant ce chapitre du chapitre XXXI, analysez les procédés les plus carac-téristiques de cette rhétorique. Au service de quelles idées Rabelais met-il ce style à chaque occasion?

le refusa. Il lui voulut donner l'abbaye de Bour-
gueil[1] ou de Saint-Florent[2], laquelle[3] mieux lui
5 duirait*, ou toutes deux, s'il les prenait à gré.   * irait
Mais le moine lui fit réponse péremptoire que
de moines il ne voulait charge ni gouvernement :

« Car comment, disait-il, pourrai-je gouverner
autrui, qui moi-même gouverner ne saurais? S'il
10 vous semble que je vous aie fait, et que puisse
à l'avenir faire service agréable, octroyez-moi de
fonder une abbaye à mon devis*. » (1)   * plan

La demande plut à Gargantua, et offrit tout
son pays de Thélème[4], jouxte la rivière de
15 Loire, à deux lieues de la grande forêt du Port-
Huault, et requit à Gargantua qu'il instituât sa
religion* au contraire de toutes autres. (2)   * règle

« Premièrement donc, dit Gargantua, il n'y   * jamais
faudra jà* bâtir murailles au circuit**, car toutes   ** autour
20 autres abbayes sont fièrement* murées.   * sauvagement

— Voire*, dit le moine, et non sans cause :   * oui
où mur y a, et devant, et derrière, y a force
murmure, envie, et conspiration mutue*. » (3)   * mutuelle

Davantage*, vu que en certains couvents de   * en outre
25 ce monde est en usance que si femme aucune*   * quelconque
y entre, on nettoie la place par laquelle elles
ont passé, fut ordonné que si religieux ou religieuse y entrait par cas fortuit, on nettoierait
curieusement* tous les lieux par lesquels auraient   * soigneusement
30 passé, et parce que ès religions* de ce monde   * dans les règles

---

1. Une des plus riches d'Anjou; 2. Autre très riche abbaye angevine; 3. Celle des
deux qui; 4. Si le site est réel, le nom est imaginaire, il vient du grec θελημα, qui
signifie « bon vouloir », « désir ». Voir carte, page 65.

--- **QUESTIONS** ---

1. Montrez comment de la boutade de frère Jean (lignes 8-9) sortiront
tous les caractères essentiels de Thélème.

2. Quels liens rattachent la fondation de cette abbaye à la guerre
picrocholine?

3. L'intention satirique : sur quel paradoxe s'amorce cette description de la nouvelle abbaye? — Le premier grief de Rabelais contre les
communautés religieuses : d'après sa biographie, peut-on avoir la preuve
qu'il a été lui-même victime de cet état d'esprit qui règne dans les couvents?

tout est compassé[1], limité et réglé par heures, fut
décrété que là ne serait horloge, ni cadran
aucun. Mais, selon les occasions et opportunités,
seraient toutes les œuvres dispensées*; car,   * administrées
35 disait Gargantua, la plus vraie perte du temps
qu'il sût était de compter les heures. Quel bien
en vient-il? et la plus grande rêverie* du monde   * folie
était soi gouverner au son d'une cloche, et non
au dicté* de bon sens et entendement. (4)   * prescription

40 Item, parce qu'en icelui* temps on ne mettait   * ce
en religion des femmes, sinon celles qu'*étaient   * qui
borgnes, boiteuses, bossues, laides, défaites,
folles, insensées, maléficiées[2] et tarées, ni les
hommes, sinon catarrés*, mal nés, niais et   * catarrheux
45 empêche* de maison...   * fardeau

« A propos, dit le moine, une femme qui
n'est ni belle ni bonne, à quoi vaut toile[3]?

— A mettre en religion, dit Gargantua.

— Voire*, dit le moine, et à faire des chemises. »   * oui
50 Fut ordonné que là ne seraient reçues, sinon
les belles, bien formées et bien naturées[4] et les
beaux, bien formés et bien naturés. (5)

Item, parce que ès* couvents des femmes   * dans les
n'entraient les hommes, fut décrété que jà* ne   * jamais
55 seraient là les femmes au cas que n'y fussent
les hommes, ni les hommes en cas qui n'y fussent
les femmes. (6)

Item, parce que tant hommes que femmes,
une fois reçus en religion, après l'an de pro-

---

1. Réglé comme au compas; 2. *Maléficié* : frappé d'un maléfice, difforme; 3. La prononciation parisienne était *tèle*, d'où l'équivoque : une telle femme et la toile; 4. D'une heureuse nature.

━━━━ QUESTIONS ━━━━

4. Ne pourrait-on trouver ici une contradiction avec les principes d'éducation proposés au chapitre XXIII? Montrez que cette contradiction n'est qu'apparente. — Où Rabelais a-t-il, en d'autres passages de *Gargantua* ou dans le reste de son œuvre, exprimé sa haine des cloches?

5. A qui, en définitive, l'abbaye de Thélème est-elle ouverte? Le recrutement en est-il très large?

6. Sur quelles contraintes de la vie conventuelle Rabelais fait-il surtout porter sa critique? Pourquoi?

60 bation*, étaient forcés et astreints y demeurer
perpétuellement leur vie durant, fut établi que
tant hommes que femmes là reçus sortiraient
quand bon leur semblerait, franchement* et
entièrement.

65   Item, parce que ordinairement les religieux
faisaient trois vœux, savoir est de chasteté, pauvreté et obédience, fut constitué que là honorablement on pût être marié, que chacun fût
riche et vécût en liberté. Au regard de l'âge
70 légitime, les femmes y étaient reçues depuis
dix jusques à quinze ans, les hommes, depuis
douze jusques à dix et huit. (7) (8)

* épreuve

* librement

CHAPITRE LIII

COMMENT FUT BATIE
ET DOTÉE L'ABBAYE DES THÉLÉMITES

Pour le bâtiment* et assortiment** de l'abbaye,
Gargantua fit livrer de comptant vingt et sept
cents mille huit cents trente et un moutons à la
grand'laine[1] et par chacun an, jusques à ce que
5 le tout fût parfait, assigna sur la recette de la
Dive[2] seize cents soixante et neuf mille écus au

* construction
** équipement

---

1. *Mouton à la grand'laine :* monnaie d'or valant environ 16 francs-or, ainsi appelée
parce qu'elle portait en effigie l'agneau pascal; 2. La *Dive* Mirebalaise, rivière qui
passe à trois lieues de la Devinière, n'est pas navigable et ne peut donc avoir de recette.

■ QUESTIONS ■

7. En prenant le contre-pied de l'institution monastique, Rabelais
ne crée-t-il pas des obligations un peu surprenantes?

8. SUR L'ENSEMBLE DU CHAPITRE LII. — Le procédé de composition
de ce chapitre : sur quel principe constant sont fondés tous les articles
du règlement institué par Gargantua? Le rôle des deux interventions
de frère Jean.

— Le bilan de la vie monastique vue par Rabelais : voit-on de quoi
celui-ci a pu souffrir lors de ses séjours dans les couvents? Sa critique
est-elle toutefois passionnelle? Montrez qu'elle met en question les principes mêmes de l'institution.

soleil[1] et autant à l'étoile poussinière[2]. Pour la fondation et entretènement* d'icelle**, donna à perpétuité vingt trois cents soixante neuf mille
10 cinq cents quatorze nobles à la rose[3] de rente foncière, indemnés[4], amortis et solvables* par chacun an à la porte de l'abbaye, et de ce, leur passa belles lettres. **(1)**

    Le bâtiment fut en figure hexagone, en telle
15 façon qu'à chacun angle était bâtie une grosse tour ronde, à la capacité de soixante pas en diamètre, et étaient toutes pareilles en grosseur et portrait*. La rivière de Loire découlait** sur l'aspect* de septentrion. Au pied d'icelle était
20 une des tours assise, nommée Artice[5]. En tirant vers l'orient était une autre nommée Calaer[6]. L'autre en suivant, Anatole[7]; l'autre après, Mésembrine[8], l'autre après, Hespérie[9], la dernière, Crière[10]. Entre chacune tour était espace
25 de trois cents douze pas. Le tout bâti à six étages, comprenant les caves sous terre pour un. Le second[11] était voûté à la forme d'une anse de panier, le reste était embrunché* de gui de Flandres[12] à forme de culs-de-lampes. Le dessus
30 couvert d'ardoise fine, avec l'endossure* de plomb, à figures de petits mannequins et animaux bien assortis et dorés, avec les gouttières qui issaient* hors la muraille entre les croisées, peintes en figure diagonale d'or et azur, jusques
35 en terre, où finissaient en grands écheneaux*, qui tous conduisaient en la rivière par-dessous le logis. **(2)**

* entretien
** celle-ci

* payables

* figure
** coulait
* côté

* revêtu

* faîtage

* sortaient

* canaux

---

    1. *Ecu au soleil :* monnaie d'or frappée par Louis XI et valant 2 francs-or; elle portait un *soleil* au-dessus de l'écu de France; **2.** Monnaie imaginaire; la *Poussinière* désigne la constellation de la Pléiade; **3.** *Noble à la rose :* monnaie d'or anglaise, portant la *rose* d'York; **4.** Garantis sans dommage; **5.** Arctique, septentrionale; **6.** Bel air (en grec); **7.** Orientale; **8.** Méridionale; **9.** Occidentale; **10.** Glacée; **11.** C'est donc le rez-de-chaussée; **12.** Gypse de Flandres, sorte de plâtre.

    ■ **QUESTIONS**

    1. A quoi tendent ces précisions financières?

    2. Pourquoi donner un plan hexagonal? Montrez tout ce qui, dans l'architecture de l'ensemble, est conçu selon l'harmonie des nombres. Quels éléments de la construction apportent leurs agréments au milieu de la sévérité géométrique de l'ensemble?

Ledit bâtiment était cent fois plus magnifique
que n'est Bonivet, ni Chambour, ni Chantilly[1];
40 car en icelui étaient neuf mille trois cents trente
et deux chambres, chacune garnie d'arrière-
chambre, cabinet[2], garde-robe, chapelle, et issue
en une grande salle. Entre chacune tour, au
milieu dudit corps de logis, était une vis[3] brisée
45 dedans icelui* même corps, de laquelle les marches   * ce
étaient part* de porphyre, part de pierre numi-   * en partie
dique[4], part de marbre serpentin[5], longues de
XXII pieds[6]; l'épaisseur était de trois doigts[7],
l'assiette par nombre de douze entre chacun
50 repos*. En chacun repos étaient deux beaux   * palier
arceaux d'antique, par lesquels était reçue la
clarté, et par iceux on entrait en un cabinet fait
à claire voie, de largeur de la dite vis, et montait
jusques au-dessus la couverture, et là finissait
55 en pavillon. Par icelle* vis on entrait de chacun   * cette
côté en une grande salle, et des salles ès*   * dans les
chambres. (3)

Depuis la tour Artice jusques à Crière étaient
les belles grandes librairies* en grec, latin, hébreu,   * bibliothèques
60 français, toscan et espagnol, disparties* par les   * réparties

---

1. Châteaux encore en construction à l'époque et qui témoignaient des nouvelles
conceptions architecturales. *Bonivet*, à quatre lieues de Poitiers, avait été construit
pour l'amiral Guillaume Gouffier, tué à Pavie en 1525. François Ier avait entrepris
la transformation de *Chambourg*, aujourd'hui *Chambord*, en 1519; les travaux furent
terminés en 1556. Le château de *Chantilly* était un ancien château fort que son pro-
priétaire, Anne de Montmorency, fit transformer à partir de 1527; 2. *Cabinet :* bureau
particulier; 3. Escalier à vis coupé par des paliers; 4. *Pierre numidique :* marbre
rouge; 5. Marbre vert à taches rouges et blanches; 6. *Pied :* unité de longueur valant
32,5 cm; 7. Le *doigt* représente une longueur de 18 à 19 mm; le *doigt* et le *pas*, utilisés comme unités de mesure dans l'Antiquité, ne font pas partie des unités de mesure
(pied, toise, etc.) employées officiellement dans la France d'alors. Ces termes restaient
en usage, comme aujourd'hui encore, pour des évaluations approximatives.

=== **QUESTIONS** ===

3. Quel genre de surprise la référence aux châteaux cités à la ligne 39
crée-t-elle? — Les emprunts à la réalité contemporaine dans la disposition intérieure. — Que deviennent ici les « cellules » traditionnelles
des couvents ? Montrez comme unités de mesure dans l'Antiquité, de l'attribution d'une chapelle individuelle à chaque appartement. — Comment le plan des appar-
tements et des salles laisse-t-il prévoir le genre de vie des habitants ?
Ne peut-on parler d'architecture fonctionnelle ?

divers étages selon iceux* langages. Au milieu[1]   * ces
était une merveilleuse vis, de laquelle l'entrée
était par le dehors du logis en un arceau large
de six toises[2]. Icelle* était faite en telle symétrie   * celle-ci
65 et capacité que six hommes d'armes, la lance
sur la cuisse, pouvaient de front ensemble monter jusques au-dessus de tout le bâtiment.

Depuis la tour Anatole jusques à Mésembrine
étaient belles grandes galeries[3], toutes peintes
70 des antiques prouesses, histoires et descriptions
de la terre. Au milieu était une pareille montée et porte, comme avons dit, du côté de la
rivière. (4) (5)

Sur icelle porte était écrit en grosses lettres
75 antiques* ce que s'en suit :   * romaines

CHAPITRE LIV

INSCRIPTION MISE SUR LA GRANDE PORTE DE THÉLÈME

Ci n'entrez pas, hypocrites, bigots*,   * faux dévots
Vieux matagots* marmiteux**, boursouflés,   * grimaciers
Torcous*, badauds, plus que n'étaient les Goths,   ** hypocrites
Ni Ostrogoths, précurseurs des magots;   * tartufes

---

1. Au milieu du corps de logis qui renfermait les bibliothèques; 2. *Toise* : unité de longueur d'une valeur de 6 pieds; 3. Sans doute portiques à arcades.

--- **QUESTIONS** ---

4. Pourquoi la place de choix donnée aux bibliothèques (lignes 58-61)? Qu'y a-t-il d'intéressant dans le choix des langues? — A quelle autre préoccupation correspondent les peintures des galeries?

5. SUR L'ENSEMBLE DU CHAPITRE LIII. — Pourquoi Rabelais a-t-il jugé utile de créer avec tant de précision le cadre où devait vivre ses Thélé-mites? Dans quelle mesure les innovations architecturales s'accordent-elles avec la réforme du règlement conventuel prévue au chapitre LII?
— L'imagination de Rabelais : avec quels éléments a-t-il composé le plan de son abbaye? Est-ce une construction utopique? Est-ce un de ces « châteaux merveilleux » tels qu'on en voit dans tant de récits légendaires du Moyen Age?

5 Hères[1], cagots[2], cafards empantouflés,
  Gueux[3] mitouflés*, frapparts[4] écorniflés**.
  Beffés*, enflés, fagoteurs de tabus[5],
  Tirez* ailleurs pour vendre vos abus.

* emmitouflés
** moqués
* bafoués
* Dirigez-vous

      Vos abus méchants
  10 Rempliraient mes camps
      De méchanceté;
      Et par fausseté
      Troubleraient mes chants
      Vos abus méchants. **(1)**

[L'inscription se prolonge par une série de six strophes et anti-strophes, composées sur le même modèle.
  Après les dévots sont ainsi écartés les gens de justice, les usuriers et les avares, les jaloux et les galeux.]

CHAPITRE LV

COMMENT ÉTAIT LE MANOIR DES THÉLÉMITES

  Au milieu de la basse-cour* était une fontaine magnifique de bel albâtre; au-dessus, les trois Grâces, avec cornes d'abondance, et jetaient l'eau par les mamelles, bouches, oreille, yeux et
5 autres ouvertures du corps. Le dedans du logis sur ladite basse-cour était sur gros piliers de cassidoine[6] et porphyre, à beaux arcs d'antique, au-dedans desquels étaient belles galeries longues et amples, ornées de peintures et cornes de cerfs,
10 licornes, rhinocéros, hippopotames, dents d'élé-phants, et autres choses spectables*. Le logis des dames comprenait depuis la tour Artice jusques à la porte Mésembrine. Les hommes occupaient

* cour intérieure

* remarquables

---

1. *Hères* : désigne ici les personnages qui portent la haire, chemise de crin destinée aux mortifications; **2.** Lépreux, donc couvert d'une cagoule, donc hypocrite; **3.** *Gueux* : mendiant, ou simulateur; **4.** *Frappart* : moine débauché; **5.** Allumeurs de querelles; **6.** *Cassidoine* : calcédoine, sorte d'agate.

━━━ QUESTIONS ━━━

1. Sur le chapitre liv. — Qu'est-ce que cette inscription nous confirme des intentions de Rabelais dans son livre?

le reste. Devant ledit logis les dames, afin qu'elles
15 eussent l'ébattement, entre les deux premières
tours, au-dehors, étaient les lices[1], l'hippodrome,
le théâtre et natatoires*, avec les bains mirifiques   * piscines
à triple solier*, bien garnis de tous assortiments   * étage
et foison d'eau de myrte.

20   Jouxte* la rivière était le beau jardin de plai-   * à côté de
sance; au milieu d'icelui, le beau labyrinthe.
Entre les deux autres tours étaient les jeux de
paume et de grosse balle. Du côté de la tour
Crière était le verger, plein de tous arbres frui-
25 tiers, tous ordonnés en ordre quinconce. Au
bout était le grand parc, foisonnant en toute
sauvagine[2]. Entre les tierces tours étaient les
buttes pour l'arquebuse, l'arc et l'arbalète; les
offices, hors la tour Hespérie, à simple étage;
30 l'écurie au-delà des offices; la fauconnerie au-
devant d'icelles*, gouvernée** par asturciers[3]   * celles-ci
bien experts en l'art, et était annuellement four-   ** dirigée
nie par les Candiens, Vénitiens et Sarmates, de
toutes sortes d'oiseaux paragons*, aigles, ger-   * modèles
35 fauts, autours, sacres, laniers, faucons, éper-
viers, émerillons et autres, tant bien faits[4] et
domestiqués que, partants du château pour
s'ébattre ès* champs, prenaient tout ce que ren-   * dans les
contraient. La vénerie* était un peu plus loin,   * chenil
40 tirant[5] vers le parc.

    Toutes les salles, chambres et cabinets, étaient
tapissés en diverses sortes, selon les saisons de
l'année. Tout le pavé était couvert de drap vert.
Les lits étaient de broderie. En chaque arrière-
45 chambre était un miroir de cristallin*, enchâssé   * cristal
en or fin, au tour garni de perles, et était de telle
grandeur qu'il pouvait véritablement représen-
ter toute la personne[6]. A l'issue des salles du
logis des dames, étaient les parfumeurs et tes-
50 tonneurs*, par les mains desquels passaient les   * coiffeurs

---

1. *Lice* : enceinte destinée aux tournois; 2. *Sauvagine* : ensemble de bêtes sauvages;
3. *Asturcier* ou *autoursier* : celui qui s'occupe des autours et autres oiseaux de chasse;
4. Dressés; 5. En direction du parc; 6. Chose alors merveilleuse : on ne connaissait
que des miroirs de petite taille.

hommes quand ils visitaient les dames. Iceux*   * ceux-ci
fournissaient par chacun matin les chambres
des dames d'eau rose[1], d'eau de naphe[2] et d'eau
d'ange[3] et à chacune la précieuse cassolette,
55 vaporante[4] de toutes drogues aromatiques. **(1)**

CHAPITRE LVI

[Rabelais décrit le costume des Thélémites : hommes et femmes
ont une garde-robe somptueuse, élégante et raffinée. Par une décision librement consenti, ils ont cependant admis une certaine uni-
formité dans le luxe; toutes les femmes portent des vêtements semblables en même temps et les hommes choisissent leur parure en
harmonie avec celle des dames.]

CHAPITRE LVII

COMMENT ÉTAIENT RÉGLÉS LES THÉLÉMITES À LEUR MANIÈRE DE VIVRE

Toute leur vie était employée*, non par lois,   * organisée
statuts ou règles, mais selon leur vouloir et
franc arbitre. Se levaient du lit quand bon leur
semblait, buvaient, mangeaient, travaillaient, dor-
5 maient quand le désir leur venait. Nul ne les
éveillait, nul ne les parforçait* ni à boire, ni   * forçait
à manger, ni à faire chose autre quelconques.

---

1. Eau de rose; 2. Eau de fleur d'oranger; 3. Eau de myrte; 4. Exhalant des vapeurs.

--- **QUESTIONS** ---

1. Sur le chapitre LV. — A quoi s'opposent le luxe extraordinaire
de cette description et l'appétit de confort qu'il dénote? N'est-ce pas
à la fois à la vie monacale et au Moyen Age? Peut-on affirmer que le luxe
est en lui-même une fin aux yeux de Rabelais?

— Relevez les procédés de style qui traduisent à la fois surabondance
et raffinement.

— Quels détails montrent que les Thélémites sont formés selon certains principes énoncés au chapitre XXIII? Pourquoi la chasse a-t-elle
tellement d'importance?

Ainsi l'avait établi Gargantua. En leur règle n'était que cette clause :

FAIS CE QUE VOUDRAS,

10 parce que gens libères*, bien nés, bien instruits, conversants* en compagnies honnêtes, ont par nature un instinct et aiguillon qui toujours les pousse à faits vertueux et retire de vice, lequel ils nommaient honneur (1). Iceux*, quand par
15 vile subjection et contrainte sont déprimés* et asservis, détournent la noble affection* par laquelle à vertu franchement tendaient, à déposer et enfreindre* ce joug de servitude, car nous entreprenons toujours choses défendues et
20 convoitons ce que nous est dénié*.

    Par cette liberté, entrèrent en louable émulation de faire tous ce qu'à un seul voyaient plaire. Si quelqu'un ou quelqu'une disait : « Buvons, » tous buvaient. Si disait : « Jouons », tous
25 jouaient. Si disait : « Allons à l'ébat ès* champs », tous y allaient. Si c'était pour voler[1] ou chasser, les dames, montées sur belles haquenées[2], avec leur palefroi[3] gorrier*, sur le poing mignonnement engantelé* portaient chacune ou un éper-
30 vier, ou un laneret, ou un émerillon ; les hommes portaient les autres oiseaux. (2)

    Tant noblement étaient appris* qu'il n'était entre eux celui ni celle qui ne sût lire, écrire, chanter, jouer d'instruments harmonieux, parler

* libres
* se trouvant

* Ceux-ci
* opprimés
* passion

* transgresser

* refusé

* aux

* richement harnaché
* muni du gantelet

* cultivés

---

1. *Voler* : chasser avec des oiseaux de proie ; **2.** *Haquenée* : jument ou cheval aisé à monter, réservé aux femmes et aux ecclésiastiques ; **3.** *Palefroi* : cheval de promenade.

——— QUESTIONS ———

1. Montrez comment la vie des Thélémites s'oppose point par point à la vie monacale. — Pourquoi la règle (ligne 9) est-elle si courte ? Suffit-elle à résumer les diverses prescriptions qu'avait prévues Gargantua au chapitre LII ? — Montrez comment il se confirme que l'abbaye de Thélème ne peut s'ouvrir qu'à une élite sociale.

2. Le postulat de Rabelais sur la nature humaine : pourquoi la liberté des Thélémites n'est-elle pas anarchique ?

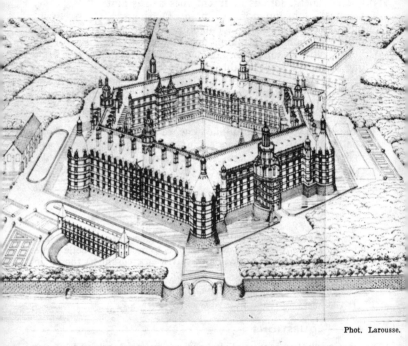

Restitution de l'abbaye de Thélème d'après Ch. Lenormant,
Rabelais et l'architecture de la Renaissance, 1840.

35 de cinq à six langages, et en iceux* composer,   * ceux-ci
tant en carmes* qu'en oraison solue**. Jamais   * vers ** prose
ne furent vus chevaliers* tant preux, tant galants,   * cavaliers
tant dextres* à pied et à cheval, plus verts**,   * habiles
mieux remuants, mieux maniants tous bâtons[1],   ** vigoureux
40 que là étaient. Jamais ne furent vues dames tant
propres*, tant mignonnes, moins fâcheuses**,   * élégantes
plus doctes à la main, à l'aiguille, à tout acte   ** ennuyeuses
mulièbre* honnête et libre, que là étaient. (3)   * féminin

   Par cette raison quand le temps venu était   * quelqu'un
45 que aucun* d'icelle** abbaye, ou à la requête   ** cette
de ses parents, ou pour autre cause, voulût issir*   * sortir
hors, avec soi il emmenait une des dames, celle
laquelle l'aurait pris pour son dévot, et étaient
ensemble mariés; et si bien avaient vécu à Thé-
50 lème en dévotion* et amitié, encore mieux la   * dévouement
continuaient-ils en mariage; d'autant* s'entr'ai-   * tout autant
maient-ils à la fin de leurs jours comme le pre-
mier de leurs noces. [...] (4) (5)

CHAPITRE LVIII

[L'ouvrage se termine par une longue énigme en vers due à Mellin
de Saint-Gelais. Ce poème est présenté comme une prophétie gravée
sur une lame de bronze que l'on découvrit en creusant les fondations
de l'abbaye.]

----

1. Armes offensives.

──── **QUESTIONS** ────────────

3. Comment se confirme l'idéal pédagogique de Rabelais? L'exemple
des Thélémites prouve-t-il qu'une telle éducation est à la portée de tous?

4. L'idéal conjugal de Rabelais : pourquoi n'est-il pas incompatible
avec l'idéal monastique tel qu'il l'a défini?

5. SUR L'ENSEMBLE DU CHAPITRE LVIII. — L'importance de ce chapitre :
pourquoi Rabelais semble-t-il avoir, dans cet épilogue, oublié Gargantua, frère Jean et les autres personnages de son roman?

— Nature, liberté et éducation dans l'idéal de Rabelais.

— L'idéal de bonheur rêvé ici par Rabelais était-il réalisable à ses
yeux? Pourquoi a-t-il alors écrit une suite à son œuvre? Et pourrait-on,
si Thélème était réalisable, si les hommes et si surtout les femmes dignes
d'y entrer existaient, expliquer la quête de Panurge dans les livres suivants?

DOCUMENTATION THÉMATIQUE

réunie par la Rédaction des Nouveaux Classiques Larousse.

1. L'IMAGINATION DE RABELAIS

On étudiera, dans l'ensemble des textes proposés par les trois classiques, de quelle manière la fantaisie de l'auteur se donne libre cours, tant dans sa structure des recueils, des livres et des chapitres que dans leur contenu. Dans le *Quart Livre,* écrit P. Jourda, « Rabelais décrit un monde qui n'a été vu que par lui, ou par ces visionnaires que sont les Breughel ou les Jérôme Bosch ». A l'aide des chapitres XLVIII, LIII et LIV, cités dans le Classique, et des extraits complémentaires suivants, on tentera une étude du fantastique chez Rabelais.

COMMENT PANTAGRUEL DESCEND EN L'ISLE FAROUCHE, MANOIR ANTIQUE DES ANDOUILLES

CHAPITRE XXXV

Les hespailliers[1] de la nauf Lanternière amenèrent le physétère[2] lié en terre de l'isle prochaine, dicte Farouche, pour en faire anatomie et recueillir la gresse des roignons, laquelle disoient estre fort utile et nécessaire à la guérison de certaine maladie qu'ilz nommoient Faulte d'argent.

Pantagruel n'en tint compte, car aultres assez pareilz, voyre encores plus énormes, avoit veu en l'océan Gallicque. Condescendit toutesfoys descendre en l'isle Farouche pour seicher et refraischir aulcuns de ses gens mouilléz et souilléz par le vilain physétère à un petit port désert vers le midy, situé lèz une touche[3] de boys haulte, belle et plaisante, de laquelle sortoit un délicieux ruisseau d'eaue doulce, claire et argentine. Là, dessoubs belles tentes, feurent les cuisines dressées sans espargne de boys. Chascuns mué de vestemens à son plaisir, feut par frère Jan la campanelle[4] sonnée. Au son d'icelle feurent les tables dressées et promptement servies.

Pantagruel, dipnant avecques ses gens joyeusement, sus l'apport de la seconde table apperceut certaines petites andouilles affaictées[5] gravir et monter sans mot sonner sus un hault arbre, près le retraict du guoubelet. Si demanda à Xenomanes : « Quelles bestes sont-ce là ? » pensant que feussent escurieux, belettes, martres ou hermines.

« Ce sont Andouilles (respondit Xenomanes). Icy est l'isle Farouche, de laquelle je vous parlois à ce matin ; entre lesquelles et Quaresmeprenant, leur maling et antique ennemy, est guerre mortelle de longtemps. Et croy que par les canonnades tirées contre le physétère ayent en quelque frayeur et doubtance que leur dict ennemy icy feust avecques ses forces

---

1. *Hespaillier :* chacun des deux galériens de l'arrière qui réglaient les mouvements des rameurs afin de faire nager avec ensemble ; 2. *Physétère :* ancien nom du cachalot ; 3. *Touche :* bouquet ; 4. *Campanelle :* clochette ; 5. *Affaictées :* apprivoisées.

pour les surprendre ou faire le guast parmy ceste leur isle, comme jà plusieurs foys s'estoit en vain efforcé, et à peu de profict, obstant[6] le soing et vigilance des Andouilles, lesquelles (comme disoit Dido aux compaignons d'Æneas voulens prendre port en Cartage sans son sceu et licence) la malignité de leur ennemy et vicinité de ses terres contraignoient soy continuellement contreguarder et veigler.

— Dea[7], bel amy (dist Pantagruel), si voyez que par quelque honeste moyen puissions fin à ceste guerre mettre et ensemble les réconcillier, donnez m'en advis. Je me y emploiray de bien bon cœur et n'y espargneray du mien pour contempérer et amodier les conditions controverses entre les deux parties.

— Possible n'est pour le præsent (respondit Xenomanes). Il y a environ quatre ans que, passant par cy et Tapinois, je me mis en debvoir de traicter paix entre eulx, ou longues trêves pour le moins ; et ores feussent bons amis et voisins, si tant l'un comme les aultres soy feussent despouilléz de leurs affections[8] en un seul article. Quaresmeprenant ne vouloit on traicté de paix comprendre les Boudins saulvaiges, les Saulcissons montigènes, leurs anciens bons compères et confœderéz. Les Andouilles requéroient que la forteresse de Cacques[9] feust par leur discrétion, comme est le chasteau de Sallouoir[10], régie et gouvernée, et que d'icelle feussent hors chasséz ne sçay quelz puans, villains, assassineurs et briguans qui la tenoient. Ce que ne peut estre accordé, et sembloient les conditions iniques à l'une et à l'aultre partie.

« Ainsi ne feut entre eulx l'apoinctement conclud. Restèrent toutesfoys moins sévères et plus doulx ennemis que n'estoient par le passé. Mais depuys la dénonciation du concile national de Chesil, par laquelle elles feurent farfouillées, guodelurées et intimées[11], — par laquelle aussi feut Quaresmeprenant déclairé breneux, hallebrené et stocfisé en cas que avecques elles il feist alliance ou appoinctement aulcun, — se sont horrificquement aigriz, enveniméz, indignéz et obstinéz en leurs couraiges, et n'est possible y remédier. Plustoust auriez-vous les chatz et ratz, les chiens et lièvres ensemble réconcilié. »

COMMENT PAR LES ANDOUILLES FAROUCHES EST DRESSÉE EMBUSCADE CONTRE PANTAGRUEL

CHAPITRE XXXVI

Ce disant Xenomanes, frère Jan aperceut vingt et cinq ou trente jeunes Andouilles de légière taille sus le havre, soy reti-

---

6. *Obstant* : faisant un obstacle ; 7. *Dea* : assurément ; 8. *Affection* : passion ; 9. *Cacque* : barrique où l'on presse les harengs salés ou fumés ; 10. *Sallouoir* : saloir ; 11. *Intimer* : appeler en justice.

rantes le grand pas vers leur ville, citadelle, chasteau et rocquette[12] de Cheminées, et dist à Pantagruel :

« Il y aura icy de l'asne, je le prévoy. Ces andouilles vénérables vous pourroient, par adventure, prendre pour Quaresmeprenant, quoyqu'en rien ne luy sembliez. Laissons ces
repaissailles icy, et nous mettons en debvoir de leur résister.

— Ce ne seroit (dist Xenomanes) pas trop mal faict.
Andouilles sont andouilles, tousjours doubles et traistresses. »
Adoncques se liève Pantagruel de table pour descouvrir hors
la touche de boys ; puys soubdain retourne et nous asceure
avoir à gausche descouvert une embuscade d'Andouilles far-
felues, et du cousté droict, à demie lieue loing de là, un gros
bataillon d'aultres puissantes et gigantales Andouilles, le long
d'une petite colline, furieusement en bataille marchantes vers
nous, au son des vezes[13] et piboles[14], des guogues[15] et des vessies, des joyeulx pifres[16] et tabours, des trompettes et clairons.
Par la conjecture de soixante et dix-huict enseignes qu'il y
comptoit, estimions leur nombre n'estre moindre de quarante
et deux mille. L'ordre qu'elles tenoient, leur fier marcher et
faces asceurées nous faisoient croire que ce n'estoient Frique-
nelles[17], mais vieilles Andouilles de guerre. Par les premières
fillières jusques près les enseignes, estoient toutes armées à
hault appareil, avecques picques petites, comme nous sembloit
de loing, toutesfoys bien poinctues et assérées. Sus les æsles
estoient flanquégées d'un grand nombre de Boudins sylva-
ticques[18], de Guodiveaux massifz et Saulcissons à cheval, tous
de belle taille, gens insulaires, bandouilliers[19] et farouches.
Pantagruel feut en grand esmoy, et non sans cause, quoyque
Epistémon luy remonstrast que l'usance et coustume du pays
andouillois povoit estre ainsi charesser et en armes recevoir
leurs amis estrangiers, comme sont les nobles roys de France
par les bonnes villes du royaulme repceuz et saluéz à leurs
premières entrées après leur sacre et nouvel advénement à la
couronne.

« Par adventure (disoit-il) est-ce la guarde ordinaire de la
royne du lieu, laquelle, advertie par les jeunes Andouilies du
guet que veistes sus l'arbre, comment en ce port surgeoit le
beau et pompeux convoy de vos vaisseaulx, a pensé que là
doibvoit estre quelque riche et puissant prince et vient vous
visiter en personne. »

De ce non satisfaict, Pantagruel assembla son conseil, pour
sommairement leurs advis entendre sus ce que faire debvoient
en cestuy estrif d'espoir incertain et craincte évidente.

---

12. *Rocquette* : fort ; **13.** *Veze* : Cornemuse ; **14.** *Pibole* : flageolet ;
15. *Guogue* : enveloppe de boudin ; **16.** *Pifre* : fifre ; **17.** *Friquenelle* : femme
galante ; **18.** *Sylvaticque* : sauvage ; **19.** *Bandouilliers* : brigands se réunissant
en bandes.

Adoncques, briefvement leurs remonstra comment telles manières de recueil[20] en armes avoit souvent porté mortel préjudice, soubs couleur de charesse et amitié.

« Ainsi (disoit-il) l'empereur Antonin Caracalle à l'une foys occist les Alexandrins ; à l'autre, desfist la compaignie de Artaban, roy des Perses, soubs couleur et fiction de vouloir sa fille espouser. Ce que luy resta impuny, car peu après il y perdit la vie. Ainsi les enfans de Jacob pour vanger le rapt de leur sœur Dyna, sacmentèrent les Sichimiens. En ceste hypocritique façon par Galien, empereur romain, feurent les gens de guerre desfaicts dedans Constantinople. Ainsi, soubs espèce d'amitié, Antonius attira Artavasdes, roy de Arménie, puys le feist lier et enferrer de grosses chaisnes ; finablement le feist occire. Mille autres pareilles histoires trouvons-nous par les antiques monumens. Et à bon droict est, jusques à præsent, de prudence grandement loué Charles, roy de France sixième de ce nom, lequel retournant victorieux des Flamens et Gantois en sa bonne ville de Paris, et au Bourget en France, entendent que les Parisiens avecques leurs mailletz (dont feurent surnommez Maillotins) estoient hors la ville issuz en bataille jusques au nombre de vingt mille combatans, ne y voulut entrer (quoyqu'ilz remonstrassent que ainsi s'estoient mis en armes pour plus honorablement le recuillir sans aultre fiction ne mauvaise affection) que premièrement ne se feussent en leurs maisons retirez et désarmez. »

COMMENT PANTAGRUEL MANDA QUERIR LES CAPITAINES RIFLANDOUILLE ET TAILLEBOUDIN, AVECQUES UN NOTABLE DISCOURS SUS LES NOMS PROPRES DES LIEUX ET DES PERSONNES

CHAPITRE XXXVII

La résolution du conseil feut qu'en tout événement ilz se tiendroient sus leurs guardes. Lors par Carpalim et Gymnaste, au mandement de Pantagruel, feurent appelez les gens de guerre qui estoient dedans les naufz Brindière (desquelz coronel estoit Riflandouille) et Portouerière (desquelz coronel estoit Tailleboudin le jeune).

« Je soulaigeray (dist Panurge) Gymnaste de ceste poine. Aussi bien vous est icy sa præsence nécessaire.

— Par le froc que je porte (dist frère Jan), tu te veulx absenter du combat, couillu, et jà ne retourneras, sus mon honneur ! Ce n'est mie grande perte. Aussi bien ne feroit-il que pleurer, lamenter, crier et descouraiger les bons soubdars.

— Je retourneray certes (dist Panurge), frère Jan, mon père

---

20. *Recueil* : rassemblement.

spirituel, bientoust. Seulement donnez ordre à ce que ces fascheuses Andouilles ne grimpent sus les naufz. Cependent que combaterez, je priray Dieu pour vostre victoire, à l'exemple du chevaleureux capitaine Moses, conducteur du peuple israëlicque.

— La dénomination (dist Epistémon à Pantagruel) de ces deux vostres coronels Riflandouille et Tailleboudin en cestuy conflict nous promect asceurance, heur et victoire, si, par fortune, ces Andouilles nous vouloient oultrager.

— Vous le prenez bien (dist Pantagruel) et me plaist que par les noms de nos coronelz vous prævoiez et prognosticquez la nostre victoire. Telle manière de prognosticquer par noms n'est moderne. Elle feut jadis célébrée et religieusement observée par les Pythagoriens. Plusieurs grands seigneurs et empereurs en ont jadis bien faict leur proffict. Octavian Auguste, second empereur de Rome, quelque jour rencontrant un paisant nommé Euthyche, c'est-à-dire Bienfortuné, qui menoit un asne nommé Nicon, c'est en langue grecque Victorien, meu de la signification des noms, tant de l'asnier que de l'asne, se asceura de toute prospérité, félicité et victoire. Vespasian, empereur pareillement de Rome, estant un jour seulet en oraison on temple de Serapis, à la veue et venue inopinée d'un sien serviteur nommé Basilides, c'est-à-dire Royal, lequel il avoit loing darrière laissé malade, print espoir et asceurance de obtenir l'empire romain. Regilian, non pour aultre cause ne occasion, feut par les gens de guerre esleu empereur que par signification de son propre nom. Voyez le *Cratyle* du divin Platon...

— Par ma soif! (dist Rhizotome) je le veulx lire : je vous oy souvent le alléguant.

— ... Voyez comment les Pythagoriens, par raison des noms et nombres, concluent que Patroclus doibvoit estre occis par Hector, Hector par Achilles, Achilles par Paris, Paris par Philoctetes. Je suys tout confus en mon entendement quand je pense en l'invention admirable de Pythagoras, lequel, par le nombre *par* ou *impar* des syllabes d'un chascun nom propre, exposoit de quel cousté estoient les humains boyteulx, bossus, borgnes, goutteux, paralyticques, pleuritiques et aultres telz maléfices en nature : sçavoir est assignant le nombre *par* au cousté guausche du corps, le *impar* au dextre.

— Vrayement (dist Epistémon) j'en veids l'expérience à Xainctes en une procession générale, præsent le tant bon, tant vertueux, tant docte et équitable præsident Briend Valée, seigneur du Douhet. Passant un boiteux ou boiteuse, un borgne ou borgnesse, un bossu ou bossue, on luy rapportoit son nom propre. Si les syllabes du nom estoient en nombre *impar*, soubdain, sans veoir les persones, il les disoit estre maléficiéz, borgnes, boiteux, bossus du cousté dextre. Si elles estoient en nombre *par,* du cousté guausche. Et ainsi estoit à la vérité, oncques n'y trouvasmes exception.

— Par ceste invention (dist Pantagruel) les doctes ont affermé que Achilles, estant à genoulx, feut par la fleiche de Paris blessé on talon dextre : car son nom est de syllabes *impares* (icy est à noter que les anciens se agenouilloient du pied dextre); Vénus par Diomèdes, davant Troie blessée en la main guausche, car son nom en grec est de quatre syllabes; Vulcan boiteux du pied guausche, par mesmes raison; Philippe, roy de Macédonie, et Hannibal, borgnes de l'œil dextre. Encores pourrions nous particularizer des ischies, hernies, hermicraines[21], par ceste raison pythagorique.

« Mais, pour retourner aux noms, consydérez comment Alexandre le Grand, filz du roy Philippe, duquel avons parlé, par l'interprétation d'un seul nom parvint à son entreprinse. Il assiégeoit la forte ville de Tyre et la battoit de toutes ses forces par plusieurs sepmaines; mais c'estoit en vain : rien ne profitoient ses engins et molitions, tout estoit soubdain démoli et remparé par les Tyriens. Dont print phantasie de lever le siège avecques grande mélancholie, voyant en cestuy département[22] perte insigne de sa réputation. En tel estrif[23] et fascherie se endormit. Dormant, songeoit qu'un satyre estoit dedans sa tente, dansant et saultelant avecques ses jambes bouquines. Alexandre le vouloit prendre; le Satyre tousjours luy eschappoit. Enfin le roy, le poursuivant en un destroict, le happa. Sus ce point se esveigla et racontant son songe aux philosophes et gens sçavans de sa court, entendit que les dieux luy promettoient victoire et que Tyre bientoust seroit prinse, car ce mot *Satyros,* divisé en deux, est *Sa Tyros,* signifiant : *Tiene est Tyre.* De faict, au premier assault qu'il feist, il emporta la ville de force, et en grande victoire subjugua ce peuple rebelle.

« Au rebours consydérez comment par la signification d'un nom Pompée se désespéra. Estant vaincu par Cæsar en la bataille Pharsalique, ne eut moyen aultre de soy saulver que par fuyte. Fuyant par mer, arriva en l'isle de Cypre. Près la ville de Paphos, apperceut sus le rivage un palais beau et sumptueux. Demandant au pilot comment l'on nommoit cestuy palais, entendit qu'on le nommoit Κακοβασιλεία, c'est-à-dire *Malroy.* Ce nom luy feut en tel effroy et abomination qu'il entra en désespoir, comme asceuré de ne évader que bientoust ne perdist la vie. De mode que les assistans et nauchiers ouïrent ses cris, souspirs et gémissemens. De faict, peu

---

21. *Hermicraine* : migraine; 22. *Département* : départ; 23. *Estrif* : préoccupation, tourment.

de temps après, un nommé Achillas, paisant incongneu, luy trancha la teste.

« Encores pourrions-nous à ce propous alléguer ce que advint à L. Paulus Æmylius, lorsque par le sénat romain feut esleu Empereur, c'est-à-dire chef de l'armée qu'ilz envoyoient contre Persés, roy de Macédonie. Icelluy jour, sus le soir, retournant en sa maison pour soy aprester au deslogement, baisant une siene petite fille nommée Tratia, advisa qu'elle estoit aulcunement triste. « Qui a-il (dist-il), ma Tratia ? Pourquoy es-tu ainsi triste et faschée ? — Mon père (respondit-elle), Persa est morte. » Ainsi nommoit-elle une petite chiene qu'elle avoit en délices. A ce mot print Paulus asceurance de la victoire contre Persés.

« Si le temps permettoit que puissions discourir par les sacres bibles des Hébreux, nous trouverions cent passages insignes, nous monstrans évidemment en quelle observance et religion leurs estoient les noms propres avecques leurs significations. » Sus la fin de ce discours arrivèrent les deux coronnelz, acompaignéz de leurs soubdars, tous bien arméz et bien déliberéz. Pantagruel leur feist une briefve remonstrance à ce qu'ilz eussent à soy monstrer vertueux au combat, si par cas estoient constraincts (car encores ne povoit-il croire que les Andouilles feussent si traistresses), avecques défense de commencer le hourt[24] ; et leurs bailla *Mardi gras* pour mot du guet.

COMMENT ANDOUILLES NE SONT A MESPRISER ENTRE LES HUMAINS

CHAPITRE XXXVIII

Vous truphez[25] ici, beuveurs, et ne croyez que ainsi soit en vérité comme je vous raconte. Je ne sçaurois que vous en faire. Croyez-le, si voulez ; si ne voulez, allez-y veoir. Mais je sçay bien ce que je veidz. Ce feut en l'isle Farouche. Je la vous nomme. Et vous réduisez à mémoire la force des géants antiques, lesquelz entreprindrent le hault mons Pelion imposer sus Osse, et l'umbrageux Olympe avecques Osse envelopper, pour combatre les dieux et du ciel les déniger[26]. Ce n'estoit force vulgaire ne médiocre. Iceulx toutesfoys n'estoient que andouilles pour la moitié du corps, ou serpens, que je ne mente.

Le serpens qui tenta Eve estoit andouillicque : ce nonobstant est de luy escript qu'il estoit fin et cauteleux sus tous aultres animans. Aussi sont andouilles. Encores maintient-on en certaines académies que ce tentateur estoit l'Andouille nommé

24. *Hourt* : combat ; 25. *Vous truphez* : vous vous gaussez ; 26. *Deniger* : dénicher.

Ithyphalle, en laquelle feut jadis transformé le bon messer Priapus, grand tentateur des femmes par les paradis en grec, ce sont jardins en françois. Les Souisses, peuples maintenant hardy et belliqueux, que sçavons-nous si jadis estoient saulcisses? Je n'en vouldroys pas mettre le doigt on feu. Les Himantopodes, peuple en Æthiopie bien insigne, sont andouilles, selon la description de Pline, non autre chose.

Si ces discours ne satisfont à l'incrédulité de vos seigneuries, præsentement (j'entends après boyre) visitez Lusignan, Partenay, Vovant, Mervant et Ponzauges en Poictou. Là trouverrez tesmoings vieulx de renom et de la bonne forge, lesquelz vous jureront sus le braz sainct Rigomé que Mellusine, leur première fondatrice, avoit corps fœminin jusques aux boursavitz[27], et que le reste en bas estoit andouille serpentine ou bien serpent andouillicque. Elle, toutesfoys, avoit alleures braves et guallantes, lesquelles encores aujourd'huy sont imitées par les Bretons balladins dansans leurs trioriz fredonnizez.

Quelle fut la cause pourquoy Erichthonius premier inventa les coches, lectières[28] et charriotz? C'estoit parce que Vulcan l'avoit engendré avecques jambes de andouilles pour lesquelles cacher, mieulx aima aller en lectière que à cheval. Car encores de son temps ne estoient Andouilles en réputation. La nymphe scythicque Ora avoit pareillement le corps my-party en femme et en andouilles. Elle toutesfoys tant sembla belle à Juppiter qu'il coucha avecques elle et en eut un beau filz nommé Colaxes.

Cessez pourtant icy plus vous trupher et croyez qu'il n'est rien si vray que l'Evangile.

COMMENT FRÈRE JAN SE RALLIE AVECQUES LES CUISINIERS POUR COMBATRE LES ANDOUILLES

CHAPITRE XXXIX

Voyant frère Jan ces furieuses Andouilles ainsi marcher de hayt[29], dist à Pantagruel:
« Ce sera icy une belle bataille de foin[30], à ce que je voy. Ho! le grand honneur et louanges magnificques qui seront en nostre victoire! Je vouldrois que dedans vostre nauf feussiez de ce conflict seulement spectateur, et au reste me laissiez faire avecques mes gens.
— Quelz gens? demanda Pantagruel.
— Matière de bréviaire, respondit frère Jan. Pourquoy Potiphar, maistre queux des cuisines de Pharaon, celluy qui achapta Joseph et lequel Joseph eust faict coqü s'il eust voulu,

---

27. *Boursavitz* : bourse-à-vit; **28.** *Lectière* : litière; **29.** *Hayt* : joyeusement; **30.** *De foin* : pour rire.

feut maistre de la cavallerie de tout le royaulme d'Ægypte ?
Pourquoy Nabuzardan, maistre cuisinier du roy Nabugodo-
nosor, feut entre tous aultres capitaines esleu pour assiéger et
ruiner Hierusalem ?

— J'escoute, respondit Pantagruel.

— Par le trou Madame ! (dist frère Jan) je auserois jurer qu'ilz
autresfoys avoient Andouilles combattu, ou gens aussi peu
estiméz que Andouilles, pour lesquelles abatre, combatre,
dompter et sacmenter[31], trop plus sont sans comparaison cuisiniers idoines[32] et suffisans, que tous gens d'armes, estradiotz[33],
soubdars et piétons du monde.

— Vous me refraischisez la mémoire (dist Pantagruel) de ce
que est escript entre les facécieuses et joyeuses responses de
Cicéron. On temps des guerres civiles à Rome entre Cæsar
et Pompée, il estoit naturellement plus enclin à la part pom-
péiane, quoyque de Cæsar feust requis et grandement favo-
risé. Un jour entendent que les Pompéians à certaine rencontre
avoient faict insigne perte de leurs gens, voulut visiter leur
camp. En leur camp apperceut peu de force, moins de couraige et beaucoup de désordre. Lors prævoyant que tout iroit
à mal et perdition, comme depuis advint, commença trupher
et mocquer maintenant les uns, maintenant les aultres,
avecques brocards aigres et picquans, comme très bien sçavoit le style. Quelques capitaines, faisans des bons compaignons comme gens biens asceuréz et délibéréz, luy dirent :
« Voyez-vous combien nous avons encores d'aigles ? »
C'estoit lors la devise des Romains en temps de guerre.
« Cela (respondit Cicéron) seroit bon et à propous si guerre
aviez contre les pies. »
« Doncques veu que combatre nous fault Andouilles, vous
inférez que c'est bataille culinaire et voulez aux cuisiniers
vous rallier. Faictez comme l'entendez. Je resteray ici attendant l'issue de ces fanfares[34]. »
Frère Jan de ce pas va ès tentes des cuisines et dict en toute
guayeté et courtoisie aux cuisiniers :
« Enfans, je veulx huy vous tous veoir en honneur et
triumphe. Par vous seront faictes apertises d'armes non
encore veues de nostre mémoire. Ventre sus ventre ! ne tient-on
aultre compte des vaillans cuisiniers ? Allons combatre ces
paillardes Andouilles. Je seray vostre capitaine. Beuvons,
amis. Çza, couraige ! »

— Capitaine (respondirent les cuisiniers), vous dictez bien.
Nous sommes à vostre joly commandement. Soubs vostre
conduicte nous voulons vivre et mourir.

---

31. *Sacmenter* : secouer ; **32.** *Idoine* : convenable ; **33.** *Estradiotz* : cavaliers
mercenaires grecs ; **34.** *Fanfare* : fanfaronnade.

— Vivre (dist frère Jan), bien ; mourir, poinct : c'est à faire aux Andouilles. Or doncques mettons-nous en ordre. *Nabuzardan* vous sera pour mot du guet. »

COMMENT PAR FRÈRE JAN EST DRESSÉE LA TRUYE ET LES PREUX CUISINIERS DEDANS ENCLOUS

CHAPITRE XL

Lors, au mandement de frère Jan, feut par les maistres ingénieux[35] dressée la grande truye, laquelle estoit dedans la nauf Bourrabaquinière. C'estoit un engin mirificque, faict de telle ordonnance que, des gros couillarts[36] qui par rancs estoient autour, il jectoit bedaines[37] et quarreaux[38] empenéz d'assier et dedans la quadrature duquel povoient aisément combatre et à couvert demourer deux cens hommes et plus ; et estoit faict au patron de la truye de la Riole, moyennant laquelle feut Bergerac prins sus les Anglois, régnant en France le jeune roy Charles sixième.

Ensuyt le nombre et les noms des preux et vaillans cuisiniers, lesquelz, comme dedans le cheval de Troye, entrèrent dedans la truye :

Saulpicquet,	Maistre Hordoux[45],
Ambrelin,	Grasboyau,
Guavache[39],	Pillemortier,
Lascheron,	Leschevin[46],
Porcausou[40],	Saulgrenée[47],
Salezart[41],	Cabirotade[48],
Maindeguourre[42],	Carbonnade[49],
Paimperdu,	Fressurade,
Lasdaller,	Hoschepot,
Pochecuillière[43],	Hasteret[50],
Moustamoulue[44],	Balafré,
Crespelet,	Gualimafré.

Tous ces nobles cuisiniers portoient en leurs armoiries en champ de gueulles larduoir de sinople, fessée d'un chevron argenté, penchant à guausche.

Lardonnet,	Archilardon,
Lardon,	Antilardon,

---

35. *Ingénieux* : ingénieurs ; 36. *Couillart* : grosse pièce de canon ; 37. *Bedaine* : boulet de pierre ; 38. *Quarreau* : grosse flèche d'arbalète dont le fer avait quatre faces ; 39. *Guavache* : lâche ; 40. *Porcausou* : porc au saindoux ; 41. *Salezart* : salaud ; 42. *Maindeguourre* : mandragore ; 43. *Pochecuillière* : louche ; 44. *Moustamoulue* : moût à morue ; 45. *Maistre Hordoux* : Maître Sale ; 46. *Leschevin* : jeux de mots ; 47. *Saulgrenée* : fèves mélangées à du beurre, des herbes, de l'eau et du sel ; 48. *Cabirotade* : grillade de chevreau ; 49. *Carbonnade* : viande grillée ; 50. *Hasteret* : grillade de foie de porc.

Rondlardon,	Frizelardon,
Croquelardon,	Lacelardon,
Tirelardon,	Grattelardon,
Graslardon,	Marchelardon,
Saulvelardon,	

Guaillardon, par syncope, natif près de Rambouillet ; le nom du docteur culinaire estoit Guaillartlardon : ainsi dictez-vous idololâtre pour idololâtre :

Roiddelardon,	Bellardon,
Aftolardon,	Neuflardon,
Doulxlardon,	Aigrelardon,
Maschelardon,	Billelardon,
Trappelardon,	Guignelardon,
Bastelardon,	Poyselardon,
Guyllelardon,	Vezelardon,
Mouschelardon,	Myrelardon,

Noms incongneuz entre les Maranes[51] et Juifz,

Couillu,	Jusverd,
Salladier,	Marmitige,
Cressonnadière,	Accodepot,
Raclenaveau,	Hoschepot,
Cochonnier,	Brizepot,
Peaudeconnin[52],	Guallepot[55],
Apigratis[53],	Frillis[56],
Pastissandiere,	Guorgesalée,
Raslard,	Escarguotandière,
Francbeuignet,	Bouillonsec,
Moustardiot,	Souppimars,
Vinetteux,	Eschinade,
Potageouart,	Prézurier,
Frelault[54],	Macaron,
Benest,	Escarsaufle,

Briguaille, cestuy feust de cuisine tiré en chambre pour le service du noble cardinal le Veneur ;

Guasteroust,	Hastiveau,
Escouvillon,	Alloyaudière,
Béguinet,	Esclanchier[58],
Escharbottier[57],	Guastelet,
Vitet,	Rapimontes,
Vitault,	Soufflemboyau,

---

51. *Marane* : Maure ; 52. *Peaudeconnin* : peau de lapin ; 53. *Apigratis* : assaisonnements ; 54. *Frelault* : homme jovial ; 55. *Guallepot* : gratte-pot ; 56. *Friller* : trembler ; 57. *Escharbottier* : personne qui éparpille le feu en le tisonnant ; 58. *Esclanche* : épaule.

Vitvain,
Jolivet,
Vitneuf,
Vistempenard,
Victorien,
Vitvieulx,
Vitvelu,

Pelouze[59],
Gabaonite,
Bubarin[60],
Crocodillet,
Prelinguant[61],
Balafré,
Maschouré[62],

Mondam, inventeur de la saulse *Madame,* et pour telle invention feut nommé en languaige escosse-françois,

Clacquedens,
Badiguoincier,
Myrelanguoy,
Becdassée[63],
Rincepot,
Urelipipingues,
Maunet[64],
Guodepie,

Guauffreux,
Saffranier,
Malparouart[65],
Antitus,
Navelier,
Rabiolas,
Boudinandière,
Cochonnet,

Robert, cestuy feut inventeur de la saulse *Robert,* tant salubre et nécessaire aux connils roustiz, canars, porc frays, œufz pochés, merluz salléz et mille aultres telles viandes,

Froiddanguille,
Rougenraye,
Guourneau,
Gribouillis[66],
Sacabribes,
Olymbrius[67],
Foucquet[68],
Friantaures[69],
Guaffelaze[70],
Saulpoudré,
Paellefrite,
Landore[71],
Calabre,
Navelet,
Foyart,
Grosguallon,

Dalyqualquain,
Salmiguondin,
Gringualet,
Aransor,
Talemouse,
Grosbec,
Frippelippes,
Brenous,
Mucydan[72],
Matatruys,
Cartevirade,
Cocquecygrue,
Visedecache,
Badelory[73],
Vedel[74],
Braguibus[75].

Dedans la truye entrèrent ces nobles cuisiniers guaillars, guallans, brusquetz et prompts au combat. Frère Jan avecques son grand badelaire[76] entre le dernier et ferme les portes à ressort par le dedans.

---

59. *Pelouze* : poisson ressemblant à la raie ; **60.** *Bubarin* : maladroit ; **61.** *Prelinguant* : pimpant ; **62.** *Maschouré* : noir de charbon ; **63.** *Becdassée* : bécasse ; **64.** *Maunet* : sale ; **65.** *Malparouart* : mal brossé ; **66.** *Gribouillis* : personne simple, sotte ; **67.** *Olymbrius* : olibrius ; **68.** *Foucquet* : écureuil ; **69.** *Friantaure* : friante génisse ; **70.** *Guaffelaze* : chardon ; **71.** *Landore* : paresseux ; **72.** *Mucydan* : visqueux ; **73.** *Badelory* : badaud ; **74.** *Vedel* : veau ; **75.** *Braguibus* : élégant ; **76.** *Badelaire* : cimeterre.

COMMENT PANTAGRUEL ROMPIT LES ANDOUILLES AUX GENOULX

CHAPITRE XLI

Tant approchèrent ces andouilles que Pantagruel apperceut comment elles desployoient leurs braz, et jà commençoient besser boys. Adoncques envoye Gymnaste entendre qu'elles vouloient dire, et sus quelle querelle elles vouloient sans défiance guerroyer contre leurs amis antiques, qui rien n'avoient mesfaict ne mesdict.

Gymnaste au davant des premières fillières feist une grande et profonde révérence et s'escria tant qu'il peut, disant :

« Vostres, vostres, vostres sommes-nous trestous, et à commandement. Tous tenons de Mardi gras, vostre antique confædéré. »

Aulcuns depuys me ont raconté qu'il dist Gradimars, non Mardi gras. Quoy que soit, à ce mot un gros cervelat saulvaige et farfelu, anticipant davant le front de leur bataillon, le voulut saisir à la gorge.

« Par Dieu (dist Gymnaste) tu n'y entreras qu'à taillons ; ainsi entier ne pourrois-tu. »

Si sacque[77] son espée Baise-mon-cul (ainsi la nommoit-il) à deux mains, et trancha le cervelat en deux pièces. Vray Dieu, qu'il estoit gras ! Il me souvint du gros Taureau de Berne, qui feut à Marignan tué à la desfaicte des Souisses. Croyez qu'il n'avoit guères moins de quatre doigts de lard sus le ventre.

Ce cervelat écervelé, coururent Andouilles sus Gymnaste, et le terrassoient vilainnement, quand Pantagruel avecques ses gens accourut le grand pas au secours. Adoncques commença le combat martial pelle-melle. Riflandouilles rifloit Andouilles, Tailleboudin tailloit boudins. Pantagruel rompoit les Andouilles au genoil. Frère Jan se tenoit coy dedans sa truye, tout voyant et considérant, quand les Guodiveaulx, qui estoient en embuscade, sortirent tous en grand effroy sus Pantagruel.

Adoncques, voyant frère Jan le désarroy et tumulte, ouvre les portes de sa truye et sort avecques ses bons soubdars, les uns portans broches de fer, les aultres tenens landiers, contrehastiers[78], paeles, palẹs, cocquasses[79], grisles, fourgeons, tenailles, lichefrètes, ramons[80], marmites, mortiers, pistons, tous en ordre comme brusleurs de maisons, hurlans et crians tous ensemble espouvantablement : *Nabuzardan! Nabuzardan! Nabuzardan!* En telz cris et esmeute chocquèrent les Guodiveaulx et à travers les Saulcissons. Les Andouilles soubdains apper-

---

77. *Sacquer* : tirer ; 78. *Contrehastier* : chenet ; 79. *Cocquasse* : chaudron ; 80. *Ramon* : balai.

ceurent ce nouveau renffort et se mirent en fuyte le grand guallop, comme s'elles eussent veu tous les diables. Frère Jan à coups de bedaines les abbatoit menu comme mousches ; ses soubdars ne se y espargnoient mie. C'estoit pitié. Le camp estoit tout couvert d'Andouilles mortes ou navrées. Et dict le conte que si Dieu n'y eust pourveu, la génération andouil-licque eust par ces soubdars culinaires toute esté exterminée. Mais il advint un cas merveilleux. Vous en croyrez ce que vouldrez.

Du cousté de la Transmontane advola un grand, gras, gros, gris pourceau, ayant æsles longues et amples, comme sont les æsles d'un moulin à vent. Et estoit le pennaige rouge cramoisy, comme est d'un phœnicoptère, qui en Languegoth est appelé flammant. Les œilz avoit rouges et flamboyans, comme un pyrope[81] ; les aureilles verdes comme une esmeraulde prassine ; les dens jaulnes comme un topaze ; la queue longue, noire comme marbre lucullian ; les pieds blans, diaphanes et trans-parens comme un diamant, et estoient largement pattéz, comme sont des oyes et comme jadis à Tholose les portoit la royne Pédaucque. Et avoit un collier d'or au coul, autour duquel estoient quelques letres ionicques, desquelles je ne peuz lire que deux mots : ΥΣ ΑΘΗΝΑΝ, pourceau Minerve enseignant.

Le temps estoit beau et clair. Mais, à la venue de ce monstre, il tonna du cousté guausche si fort que nous restames tous estonnéz. Les Andouilles, soubdain que l'apperceurent, jec-tèrent leurs armes et bastons, et à terre toutes se agenoillèrent, levant haultes leurs mains joinctes, sans mot dire, comme si elles le adorassent.

Frère Jan, avecques ses gens, frappoit tousjours et embrochoit Andouilles. Mais par le commendement de Pantagruel fut sonnée retraicte et cessèrent toutes armes. Le monstre, ayant plusieurs foys volé et revolé entre les deux armées, jecta plus de vingt et sept pippes de moustarde en terre, puys disparut volant par l'air et criant sans cesse :

« Mardigras ! Mardigras ! Mardigras ! »

COMMENT PANTAGRUEL PARLEMENTE AVECQUES NIPHLESETH, ROYNE DES ANDOUILLES

CHAPITRE XLII

Le monstre susdict plus ne apparoissant et restantes les deux armées en silence, Pantagruel demanda parlementer avecques la dame Niphleseth (ainsi estoit nommée la royne des

---

81. *Pyrope* : escarboucle.

Andouilles), laquelle estoit près les enseignes dedans son coche. Ce que feut facilement accordé.

La royne descendit en terre et gratieusement salua Pantagruel, et le veid voluntiers. Pantagruel soy complaignoit de ceste guerre. Elle luy feist ses excuses honestement, alleguant que par faulx rapports avoit esté commis l'erreur et que ses espions luy avoient dénoncé que Quaresmeprenant, leur antique ennemy, estoit en terre descendu et passoit temps à veoir l'urine des physétères. Puys le pria vouloir de grâce leur pardonner ceste offense, alleguant qu'en Andouilles plustoust l'on trouvoit merde que fiel, en ceste condition qu'elle et toutes ses successitres Niphleseth à jamais tiendroient de luy et ses successeurs toute l'isle et pays à foy et hommaige ; obéiroient en tout et partout à ses mandemens ; seroient de ses amis amies et de ses ennemis ennemies ; par chascun an, en recongnoissance de ceste féaulté, luy envoyroient soixante et dix-huict mille Andouilles royales pour à l'entrée de table le servir six moys l'an.

Ce que feut par elle faict et envoya au lendemain dedans six grands briguantins le nombre susdict d'Andouilles royales au bon Gargantua, soubs le conduicte de la jeune Niphleseth, infante de l'isle. Le noble Gargantua en fit præsent et les envoya au grand roy de Paris. Mais au changement de l'air, aussi par faulte de moustarde (baulme naturel et restaurant d'andouilles) moururent presque toutes. Par l'octroy et vouloir du grand roy feurent par monceaulx en un endroict de Paris enterrées, qui jusques à præsent est appelé la rue Pavée d'Andouilles.

A la requeste des dames de la court royalle fut Niphleseth la jeune saulvée et honorablement traictée. Depuys feut mariée en bon et riche lieu et feist plusieurs beaulx enfans, dont loué soit Dieu.

Pantagruel remercia gratieusement la royne, pardonna toute l'offense, refusa l'offre qu'elle avoit faict et luy donna un beau petit cousteau parguoys. Puys curieusement l'interrogea sus l'apparition du monstre susdict. Elle respondit que c'estoit l'Idée de Mardigras, leur dieu tutéllaire en temps de guerre, premier fondateur et original de toute la race andouillicque. Pourtant sembloit-il à un pourceau, car Andouilles feurent de pourceau extraictes. Pantagruel demandoit à quel propous et quelle indication curative il avoit tant de moustarde en terre projecté. La royne respondit que moustarde estoit leur Sangréal[82] et bausme céleste, duquel mettant quelque peu dedans les playes des Andouilles terrassées, en bien peu de temps les navrées guérissoient, les mortes ressuscitoient.

_____

82. *Sangréal* : Saint-Graal.

Aultres propous ne tint Pantagruel à la royne, et se retira en sa nauf. Aussi feirent tous les bons compaignons avecques leurs armes et leur truye.

COMMENT HOMENAZ, ÉVESQUE DES PAPIMANES, NOUS MONSTRA LES URANOPÈTES DÉCRÉTALES

CHAPITRE XLIX

Puys nous dist Homenaz :

« Par nos sainctes Décrétales nous est enjoinct et commendé visiter premier les ecclises que les cabaretz. Pourtant, ne déclinans de ceste belle institution, allons à l'ecclise ; après, irons bancqueter.

— Homme de bien (dist frère Jan) allez davant, nous vous suivrons. Vous en avez parlé en bons termes et en bon christian. Jà longtemps a que n'en avions veu. Je m'en trouve fort resjouy en mon esprit et croy que je n'en repaistray que mieulx. C'est belle chose rencontrer gens de bien. »

Approchans de la porte du temple, apperceusmez un gros livre doré, tout couvert de fines et précieuses pierres, balais[83], esmeraulides, diamans et unions plus ou autant pour le moins excellentes que celles que Octavian consacra à Juppiter Capitolin. Et pendoit en l'air ataché à deux grosses chaînes d'or au zoophore du portal. Nous le reguardions en admiration. Pantagruel le manyoit et tournoyt à plaisir, car il y pouvoit aizément toucher. Et nous affermoit que au touchement d'icelles il sentoit un doulx prurit des ongles et desgourdissement des bras, ensemble temptation véhémente en son esprit de battre un sergent ou deux, pourveu qu'ilz n'eussent tonsure.

Adoncques nous dict Homenaz :

« Jadis feut aux Juifz la loy par Moses baillée escripte des doigts propres de Dieu. En Delphes, davant la face du temple de Apollo, fut trouvée ceste sentence divinement escripte : ΓΝΩΘΙ ΣΕΑΥΤΟΝ[84]. Et par certain laps de temps après feut veue EI[85], aussi divinement escripte et transmise des cieulx. Le simulachre de Cybèle feut des cieulx en Phrygie transmis on champ nommé Pesinunt. Aussi feut en Tauris le simulachre de Diane, si croyez Euripides. L'oriflambe feut des cieulx transmise aux nobles et très chrestians roys de France pour combatre les infidèles. Régnant Numa Pompilius, roy second des Romains en Rome, feut du ciel veu descendre le tranchant bouclier dict Ancile. En Acropolis de Athènes jadis tomba du ciel empiré la statue de Minerve. Icy semblablement voyez les

---

83. *Balais* : rubis ; 84. « Connais-toi toi-même » ; 85. « Tu es. »

sacres Décrétales escriptes de la main d'un ange Chérubin.
Vous aultres gens Transpontins, ne le croirez pas...

— Assez mal, respondit Panurge.

— ... et à nous icy miraculeusement du ciel des cieulx trans-
mises, en façon pareille que par Homère, père de toute philosophie (exceptez tousjours les dives Décrétales), le fleuve du
Nile est appellé Diipetes. Et parce qu'avez veu le Pape, évan-
géliste d'icelles et protecteur sempiternel, vous sera de par
nous permis les veoir et baiser au dedans, si bon vous semble.
Mais il vous conviendra, par avant, trois jours jeûner et régu-
lièrement confesser, curieusement espluchans et inventorizans
voz péchez tant dru qu'en terre ne tombast une seule cir-
constance, comme divinement nous chantent les dives Décrétales que voyez. A cela fault du temps.

— Homme de bien (respondit Panurge), Décrotouères, voyre,
diz-je, Décrétales avons prou veu en papier, en parchemin lanterné[86], en vélin, escriptes à la main et imprimées en moulle.
Jà n'est besoing que vous penez à ceste-cy nous monstrer :
nous contentons du bon vouloir et vous remercions autant.

— Vraybis! (dist Homenaz) vous n'avez mie veu cestes-cy
angélicquement escriptes. Celles de vostre pays ne sont que
transsumptz[87] des nostres, comme trouvons escript par un de
nos antiques scholiastes décrétalins. Au reste vous prye n'y
espargner ma peine. Seulement advisez si voulez confesser et
jeûner les troys beaulx petitz jours de Dieu.

— De cons fesser (respondit Panurge) très bien nous consen-
tons. Le jeûne seulement ne nous vient à propous, car nous
avons tant et trestant par la marine jeûné que les araignes ont
faict leurs toilles sus nos dens. Voyez icy ce bon frère Jan
des Entommeures...

A ce mot Homenaz courtoisement luy bailla la petite accolade.

— ... la mousse luy est creue on gouzier par faulte de remuer
et exercer les badiguoinces et mandibules.

— Il dict vray! (respondit frère Jan); j'ay tant et trestant
jeuné que j'en suys devenu tout bossu.

— Entrons (dist Homenaz) doncques en l'ecclise, et nous par-
donnez si præsentement ne vous chantons la belle messe de
Dieu. L'heure de my-jour est passée, après laquelle nous
défendent nos sacres Décrétales messe chanter, messe, diz-je,
haulte et légitime. Mais je vous en diray une basse et seiche[88].

— J'en aymerois mieulx (dist Panurge) une mouillée de
quelque bon vin d'Anjou. Boutez doncq, boutez bas et roidde!

— Verd et bleu! (dist frère Jan) il me desplaist grandement
qu'encores est mon estomach jeun. Car ayant très bien des-

---

86. *Lanterné* : du pays de Lanternois; 87. *Transsumptz* : transcriptions;
88. Une messe sèche est une messe sans communion.

jeuné et repeu à usaige monachal, si d'adventure il nous chante ce *Requiem*, je y eusse porté pain et vin par les traicts passéz. Patience! Sacquez, chocquez, boutez, mais troussez-la court, de paour que ne se crotte, et pour aultre cause aussi, je vous en prye! »

COMMENT PAR HOMENAZ NOUS FEUT MONSTRÉ L'ARCHÉTYPE D'UN PAPE

CHAPITRE L

La messe parachevée, Homenaz tira d'un coffre près le grand aultel un gros faratz de clefz, desquelles il ouvrit à trente et deux claveures et quatorze cathenatz une fenestre de fer bien barrée au-dessus dudict autel; puys, par grand mystère, se couvrit d'un sac mouillé et, tirant un rideau de satin cramoisy, nous monstra une image painte assez mal scelon mon advis, y toucha un baston longuet et nous feist à tous baiser la touche. Puys nous demanda :

« Que vous semble de ceste imaige?

— C'est (respondit Pantagruel) la ressemblance d'un pape. Je le congnois à la thiare, à l'aumusse, au rochet, à la pantophle.

— Vous dictez bien (dist Homenaz). C'est l'idée de celluy Dieu de bien en terre, la venue duquel nous attendons dévotement et lequel espérons une foys veoir en ce pays. O l'heureuse et désirée et tant attendue journée! Et vous, heureux et bienheureux, qui tant avez eu les astres favorables que avez vivement en face veu et réalement celluy bon Dieu en terre, duquel voyant seulement le portraict, pleine rémission guaignons de tous nos péchéz mémorables, ensemble la tierce partie avecques dix-huict quarantaines des péchéz oubliéz! Aussi ne la voyons-nous qu'aux grandes festes annuelles. »

Là disoit Pantagruel que c'estoit ouvraige tel que les faisoit Dædalus. Encores qu'elle feust contrefaicte et mal traicte, y estoit toutesfoys latente et occulte quelque divine énergie en matière de pardons.

« Comme (dist frère Jan) à Seuillé les coquins souppant un jour de bonne feste à l'hospital et se vantans, l'un avoir celluy jour guaingné six blancs, l'aultre deux soulz, l'aultre sept carolus, un gros gueux se ventoit avoir guaingné troys bons testons. « Aussi (luy respondirent ses compaignons) tu as une jambe de Dieu[89]. » Comme si quelque divinité feust absconse en une jambe toute sphacelée et pourrye.

— Quand (dist Pantagruel) telz contes vous nous ferez, soyez

---

89. *Jambe de Dieu* : jambe qui a été maquillée pour avoir l'air d'être estropiée.

records d'apporter un bassin : peu s'en fault que ne rende ma gorge. User ainsi du sacre nom de Dieu en choses tant ordes et abhominables ! Fy ! j'en diz fy ! Si dedans vostre moynerie est tel abus de parolles en usaige, laissez-le là, ne le transportez hors les cloistres.

— Ainsi (respondit Epistémon) disent les médicins estre en quelques maladies certaine participation de divinité. Pareillement Néron louoit les champeignons et en proverbe grec les appeloit « viande des Dieux », pource que en iceulx il avoit empoisonné son prædécesseur Claudius, empereur romain.

— Il me semble (dist Panurge) que ce portraict fault en nos derniers Papes : car je les ay veu non aumusse, ains armet[90] en teste porter, thymbré d'une thiare persicque, et tout l'empire christian estant en paix et silence, eulx seulz guerre faire félonne et très cruelle.

— C'estoit (dist Homenaz) doncques contre les rebelles, hæreticques, protestans désespéréz, non obéissans à la saincteté de ce bon Dieu en terre. Cela luy est non seulement permis et licite, mais commendé par les sacres Décrétales et doibt à feu incontinent Empereurs, Rois, Ducz, Princes, Républicques, et à sang mettre, qu'ilz transgresseront un *iota* de ses mandemens ; les spolier de leurs biens, les déposséder de leurs royaulmes, les proscrire, les anathématizer, et non seulement leurs corps et de leurs enfans et parens aultres occire, mais aussi leurs âmes damner au parfond de la plus ardente chaulmdière qui soit en Enfer.

— Icy (dist Panurge) de par tous les diables ! ne sont-ilz hæreticques comme feut Raminagrobis et comme ilz sont parmy les Almaignes et Angleterre. Vous estez christians triéz sur le volet.

— Ouy, vraybis (dist Homenaz) ; aussi serons-nous tous saulvéz. Allons prendre de l'eau béniste, puys dipnerons. »

MENUZ DEVIS DURANT LE DIPNER A LA LOUANGE DES DÉCRÉTALES

CHAPITRE LI

Or notez, beuveurs, que durant la messe sèche de Homenaz troys manilliers[91] de l'ecclise, chascun tenant un grand bassin en main, se pourmenoient parmy le peuple, disans à haulte voix : « N'oubliez les gens heureux qui le ont veu en face ! » Sortans du temple, ilz apportèrent à Homenaz leurs bassins tous pleins de monnoye papimanicque. Homenaz nous dist que c'estoit pour faire bonne chère et que de ceste contribu-

---

90. *Armet* : casque du chevalier ; 91. *Manillier* : sonneur de cloches.

tion et taillon l'une partie seroit employée à bien boyre, l'aultre à bien manger, suivant une mirificque glosse cachée en un certain coingnet de leurs sainctes Décrétales.

Ce que feut faict, et en beau cabaret assez retirant[92] à celluy de Guillot en Amiens. Croyez que la repaissaille feut copieuse et les beuvettes numéreuses. En cestuy dipner je notay deux choses mémorables : l'une, que viande ne feut apportée, quelle que feust, feussent chevreaulx, feussent chappons, feussent cochons (desquelz y a foyson en Papimanie), feussent pigeons, connilz, levraulx, cocqs de Inde ou aultres, en laquelle n'y eust abondance de farce magistrale ; l'aultre, que tout le sert et dessert feut porté par les filles pucelles mariables du lieu, belles, je vous affie, saffrettes[93], blondelettes, doucettes et de bonne grâce, lesquelles, vestues de longues, blanches et déliées aubes à doubles ceintures, le chef ouvert, les cheveulx inscrophiéz[94] de petites bandelettes, et rubans de saye violette, seméz de roses, œilletz, marjolaine, aneth, aurande et aultres fleurs odorantes, à chascune cadence nous invitoient à boyre avecques doctes et mignonnes révérences. Et estoient voluntiers veues de toute l'assistence. Frère Jan les reguardoit de cousté, comme un chien qui emporte un plumail.

Au dessert du premier metz feut par elles mélodieusement chanté un épode à la louange des sacrosainctes Décrétales. Sus l'apport du second service, Homenaz, tout joyeulx et esbaudy, adressa sa parolle à un des maistres sommeliers disant :

« *Clerice*[95], esclaire icy. »

A ces motz, une des filles promptement luy præsenta un grand hanat plein de vin extravaguant. Il le tint en main et, souspirant profondément, dist à Pantagruel :

« Monseigneur, et vous, beaulx amis, je boy à vous tous de bien bon cœur. Vous soyez les très bien venuz ! »

Beu qu'il eut et rendu le hanat à la bachelette gentile, feist une lourde exclamation, disant :

« O dives Décrétales ! tant par vous est le vin bon bon trouvé !

— Ce n'est (dist Panurge) pas le pis du panier !

— Mieulx seroit (dist Pantagruel) par si elles le mauvais vin devenoit bon.

— O séraphicque *Sixiesme !* (dist Homenaz continuant) tant vous estes nécessaire au saulvement des paouvres humains ! O chérubicques *Clémentines !* comment en vous est proprement contenue et descripte la perfaicte institution du vray christian ! O *Extravaguantes* angélicques ! comment sans vous périroient les paouvres âmes, lesquelles çà-bas errent par les

<hr>

92. *Retirant* : ressemblant ; **93.** *Saffrettes* : friandes ; **94.** *Inscrophier* : torsader ; **95.** *Clerice* : clerc.

corps mortelz en ceste vallée de misère ! Hélas ! quand sera ce don de grâce particulière faict ès humains, qu'ilz désistent de toutes aultres estudes et néguoces pour vous lire, vous entendre, vous sçavoir, vous user, practiquer, incorporer, sanguifier et incentricquer ès profonds ventricules de leurs cerveaulx, ès internes mouelles de leurs os, ès perples[96] labyrintes de leurs artères ? O lors, et non plus toust ne aultrement, heureux le monde ! »

A ces motz, se leva Epistémon et dist tout bellement à Panurge :

« Faulte de selle persée me constrainct d'icy partir. Ceste farce me a desbondé le boyau cullier. Je ne arresteray guères.

— O lors (dist Homenaz continuant) nullité de gresle, gelée, frimatz, vimères[97] ! O lors abondance de tous biens en terre ! O lors paix obstinée, infringible en l'Univers, cessation de guerres, pilleries, anguaries[98], briguanderies, assassinemens, exceptez contre les hæréticques et rebelles mauldictz ! O lors joyeuseté, alaigresse, liesse, soulas[99], déduictz, plaisirs, délices en toute nature humaine ! Mais, ô grande doctrine, inestimable érudition, préceptions déificques, emmortaisées[100] par les divins chapitres de ces éternes Décrétales ! O comment, lisant seulement un demy canon, un petit paragraphe, un seul notable de ces sacrosainctes Décrétales, vous sentez en vos cœurs enflammée la fournaise d'amour divin, de charité envers vostre prochain, pourveu qu'il ne soit hæréticque, contemnement[101] asceuré de toutes choses fortuites et terrestres, ecstatique élévation de vos espritz, voire jusques au troizième ciel, contentement certain en toutes vos affections ! »

CONTINUATION DES MIRACLES ADVENUZ PAR LES DÉCRÉTALES

CHAPITRE LII

« Voicy (dist Panurge) qui dict d'orgues, mais j'en croy le moins que je peuz. Car il me advint un jour à Poictiers, chés l'Ecossoys, docteur Décrétalipotens, d'en lire un chapitre : le diable m'emport si, à la lecture d'icelluy, je ne feuz tant constipé du ventre que par plus de quatre, voyre cinq jours, je ne fiantay qu'une petite crotte. Sçavez-vous quelle ? Telle, je vous jure, que Catulle dict estre celles de Furius, son voisin :

> En tout un an tu ne chie dix crottes,
> Et, si des mains tu les brises et frottes,
> Jà n'en pourras ton doigt souiller de erres[102],
> Car dures sont plus que febves et pierres.

---

96. *Perple* : complexe ; 97. *Vimère* : orage ; 98. *Anguarie* : corvée, vexation ; 99. *Soulas* : amusements ; 100. *Emmortaiser* : fixer solidement ; 101. *Contemnement* : mépris ; 102. *Erres* : beaucoup.

— Ha, ha! (dist Homenaz) Inian, mon amy, vous, par adventure, estiez en estat de péché mortel.

— Cestuy-là (dist Panurge) est d'un aultre tonneau.

— Un jour (dist frère Jan), je m'estois, à Seuillé, torché le cul d'un feuillet d'unes meschantes *Clémentines,* lesquelles Jean Guymard, nostre recepveur, avoit jecté on préau du cloistre : je me donne à tous les diables si les rhagadies[103] et hæmorrutes[104] ne m'en advinrent si très horribles que le paouvre trou de mon clous bruneau en feut tout déhinguandé.

— Inian (dist Homenaz), ce feut évidente punition de Dieu, vengeant le péché qu'aviez faict incaguant ces sacrés livres, lesquelz doibviez baiser et adorer, je diz d'adoration de latrie ou de hyperdulie pour le moins. Le Panormitan n'en mentit jamais.

— Jan Chouart (dist Ponocrates) à Monspellier avoit achapté des moines de Sainct Olary unes belles Décrétales, escriptes en beau et grand parchemin de Lamballe, pour en faire des vélins pour batre l'or. Le malheur y feut si estrange que oncques pièce n'y feut frappée qui vînt à proficit. Toutes feurent dilacérées et estrippées.

— Punition (dist Homenaz) et vengeance divine.

— Au Mans (dist Eudémon), François Cornu, apothicaire, avoit en cornetz emploicté unes *Extravaguantes* frippées : je désadvoue le diable si tout ce qui feut empacqueté ne feut sus l'instant empoisonné, pourry et guasté : encent, poyvre, gyrofle, cinnamone, saphran, cire, espices, casse, reubarbe, tamarins, généralement tout, drogues, guogues et senogues.

— Vengeance (dist Homenaz) et divine punition. Abuser en choses prophanes de ces tant sacres escriptures !

— A Paris (dist Carpalim), Groignet, cousturier, avoit emploicté unes vieilles *Clémentines* en patrons et mesures. O cas estrange ! Tous habillemens taillez sus telz patrons et protraictz sus telles mesures feurent guastéz et perduz : robbes, cappes, manteaulx, sayons, juppes, cazaquins, colletz, pourpoinctz, cottes, gonnelles, verdugualles. Groignet, cuydant tailler une cappe, tailloit la forme d'une braguette. En lieu d'un sayon tailloit un chappeau à prunes succées. Sus la forme d'un cazaquin tailloit une aumusse[105]. Sus le patron d'un pourpoinct tailloit la guise d'une paele. Ses varletz, l'avoir cousue, la deschiquetoient par le fond, et sembloit d'une paele à fricasser chastaignes. Pour un collet faisoit un brodequin. Sur le patron d'une verdugualle tailloit une barbutte[106]. Pensant faire un

---

103. *Rhagadies* : gerçures dans les plis de la peau de l'anus ; **104.** *Hæmorrutes* : varices des veines de l'anus ; **105.** *Aumusse* : cape ou pèlerine à capuchon servant à protéger du froid pendant les offices les chanoines et les chantres ; **106.** *Barbutte* : casque, coiffure.

manteau, faisoit un tabourin de Souisse. Tellement que le paouvre homme par justice feut condemné à payer les estoffes de tous ses challans, et de præsent en est au saphran.

— Punition (dist Homenaz) et vengeance divine!

— A Cahusac (dist Gymnaste) feut, pour tirer à la butte, partie faicte entre les seigneurs d'Estissac et vicomte de Lausun. Pérotou avoit dépecé unes demies Décrétales du bon canonge La Carte et des feueilletz avoit taillé le blanc pour la butte. Je me donne, je me vends, je me donne à travers tous les diables, si jamais harbalestier du pays (lesquelz sont suppellatifz en toute Guyenne) tira traict dedans! Tous feurent coustiers. Rien du blanc sacrosainct barbouillé ne feut dépucellé ne entommé. Encores Sansornin l'aisné, qui guardoit les guaiges, nous juroit *Figues dioures* (son grand serment) qu'il avoit veu apertement, visiblement, manifestement le pasadouz[107] de Carquelin droict entrant dedans la grolle on mylieu du blanc, sus le poinct de toucher et enfoncer, s'estre escarté loing d'une toise, coustier, vers le fournil.

— Miracle (s'escria Homenaz), miracle, miracle! Clerice, esclaire icy! Je boy à tous! Vous me semblez vrays christians. » A ces motz les filles commencèrent ricasser entre elles. Frère Jan hannissoit du bout du nez comme prest à roussiner ou baudouiner[108] pour le moins, et monter dessus comme Herbault sus paouvres gens.

« Me semble (dist Pantagruel) que en telz blancs l'on eust contre le dangier du traict plus sceurement esté que ne feut jadis Diogenes.

— Quoy? (demanda Homenaz) comment? estoit-il Décrétaliste?

— C'est (dist Epistémon retournant de ses affaires) bien rentré de picques noires!

— Diogenes (respondit Pantagruel), un jour s'esbattre voulant, visita les archiers qui tiroient à la butte. Entre iceulx un estoit tant faultier, impérit et maladroict, que lorsqu'il estoit en ranc de tirer, tout le peuple spectateur s'escartoit de paour d'estre par luy féruz. Diogenes, l'avoir un coup veu si perversement tirer que sa flèche tomba plus d'un trabut[109] loing de la butte, au second coup, le peuple loing d'un cousté et d'aultre s'escartant, accourut et se tint en pieds jouxte le blanc, affermant cestuy lieu estre le plus sceur et que l'archier plustoust fériroit tout aultre lieu que le blanc, le blanc seul estre en sceureté du traict.

— Un paige (dist Gymnaste) du seigneur d'Estissac, nommé Chamouillac, aperceut le charme. Par son advis Pérotou chan-

---

107. *Pasadouz* : carreau ; **108.** *Baudouiner* : s'accoupler, en parlant de roussins ou de baudets ; **109.** *Trabut* : perche.

gea de blanc et y employa les papiers du procès de Pouillac. Adoncques tirèrent très bien et les uns et les aultres.

— A Landerousse (dist Rhizotome), ès nopces de Jan Delif, feut le festin nuptial notable et sumptueux, comme lors estoit la coustume du pays. Après souper feurent jouées plusieurs farces, comédies, sornettes plaisantes; feurent dansées plusieurs moresques aux sonnettes et timbous; feurent introduictes diverses sortes de masques et mommeries. Mes compaignons d'eschole et moy, pour la feste honorer à nostre povoir (car au matin nous tous avions eu de belles livrées blanc et violet), sus la fin feismes un barboire[110] joyeulx avecques force coquilles de sainct Michel et belles caquerolles de limassons. En faulte de colocasie, bardane, personate et de papier, des feueilletz du vieil *Sixiesme* qui là estoit abandonné nous feismes nos faulx visaiges, les descouppans un peu à l'endroict des œilz, du nez et de la bouche. Cas merveilleux! Nos petites caroles et puériles esbatemens achevéz, houstans nos faulx visaiges, appareumes plus hideux et villains que les diableteaux de la passion de Doué tant avions les faces guastées aux lieux touchéz par lesdictz feueilletz. L'un y avoit la picote, l'aultre le tac, l'aultre la vérolle, l'aultre la rougeolle, l'aultre gros froncles. Somme, celluy de nous tous estoit le moins blessé à qui les dens estoient tombées.

— Miracle (s'escria Homenaz), miracle!

— Il n'est (dist Rhizotome) encores temps de rire. Mes deux sœurs, Catharine et Renée, avoient mis dedans ce beau *Sixiesme* comme en presses (car il estoit couvert de grosses aisses et ferré à glaz) leurs guimples, manchons et collerettes savonnées de frais, bien blanches et empesées. Par la vertus Dieu...

— Attendez! (dist Homenaz) duquel Dieu entendez-vous?

— Il n'en est qu'un, respondit Rhizotome.

— Ouy bien (dist Homenaz) ès cieulx. En terre n'en avons-nous un aultre?

— Arry avant! (dist Rhizotome) je n'y pensois, par mon âme! plus. Par la vertus doncques du Dieu Pape terre, leurs guimples, collerettes, baverettes, couvrechefz et tout aultre linge y devint plus noir qu'un sac de charbonnier.

— Miracle! (s'escria Homenaz); Clerice, esclaire icy et note ces belles histoires.

— Comment (demanda frère Jan) dit-on doncques?

> Depuis que Décretz eurent ales,
> Et gens d'armes portèrent males,
> Moines allèrent à cheval,
> En ce monde abonda tout mal.

---

110. *Barboire* : mascarade.

— Je vous entens (dist Homenaz). Ce sont petitz quolibetz des hæréticques nouveaulx. »

2. RABELAIS CONTEUR

On pourra étudier, dans cette perspective, les passages suivants, en particulier : dans le *Tiers Livre,* le siège de Corinthe et l'agitation dans la ville (prologue); dans le *Quart Livre,* l'éloge de Messer Gaster (chap. LVII), la louange des Décrétales (chap. LI-LII, cités plus haut, et LIII dans le Classique consacré au *Quart Livre*). Voici deux textes complémentaires.

2.1. LA COGNÉE DE COUILLATRIS (*Quart Livre,* Prologue)

A propos de soubhaictz médiocres en matière de coingnée (advisez quand sera temps de boire), je vous raconteray ce qu'est escript parmy les apologues du saige Æsope le François, j'entens Phrygien et Troian, comme afferme Max. Planudes ; duquel peuple, selon les plus véridiques chroniqueurs, sont les nobles François descenduz. Ælian escript qu'il feut Thracian ; Agathias, après Hérodote, qu'il estoit Samien ; ce m'est tout un.

De son temps, estoit un pauvre homme villageois natif de Gravot, nommé Couillatris, abateur et fendeur de bois, et en cestuy bas estat guaingnant cahin caha sa paouvre vie. Advint qu'il perdit sa coingnée. Qui feut bien fasché et marry ? Ce fut il car de sa coingnée dépendoit son bien et sa vie, par sa coingnée vivoit en honneur et réputation entre tous riches buscheteurs, sans coingnée mouroit de faim. La mort, six jours après le rencontrant sans coingnée, avecques son dail l'eust fauché et cerclé de ce monde.

En cestuy estrif commença crier, prier, implorer, invocquer Juppiter par oraisons moult disertes (comme vous sçavez que Nécessité feut inventrice d'Eloquence), levant la face vers les cieulx, les genoilz en terre, la teste nue, les bras haulx en l'air, les doigts des mains esquarquilléz, disant à chascun refrain de ses suffrages, à haulte voix, infatiguablement :

« Ma coingnée, Juppiter ! ma coingnée, ma coingnée ! rien plus, o Juppiter, que ma coingnée ou deniers pour en achapter une aultre ! Hélas ! ma pauvre coingnée ! »

Juppiter tenoit conseil sus certains urgens affaires, et lors opinoit la vieille Cybelle ou bien le jeune et clair Phœbus, si roulez. Mais en tant grande feut l'exclamation de Couillatris qu'elle feut en grand effroy ouye on plein conseil et consistoire des Dieux.

« Quel diable (demanda Juppiter) est là-bas qui hurle si horrifiquement ? Vertuz de Styx, ne avons-nous pas cy-devant esté,

présentement ne sommes-nous assez icy à la décision empes-
chéz de tant d'affaires controvers et d'importance? Nous avons
vuidé le débat de Presthan, roi des Perses, et de sultan Soly-
man, empereur de Constantinople. Nous avons clos le pas-
saige entre les Tartres et les Moscovites. Nous avons res-
pondu à la requeste du Cheriph. Aussi avons-nous à la
dévotion de Guolgotz Rays. L'estat de Parme est expédié,
aussi est celluy de Maydenbourg, de la Mirandole et de
Afrique (ainsi nomment les mortelz ce que sus la mer Méditerranée, nous appellons *Aphrodisium*). Tripoli a changé de
maistre par male guarde : son période estoit venu. Icy sont
les Guascons renians et demandans restablissement de leurs
cloches. En ce coing sont les Saxons, Estrelins, Ostrogotz, et
Alemans peuple jadis invincible, maintenant *aberkeids,* et
subjuguéz par un petit homme tout estropié. Ilz nous
demandent vengeance, secours, restitution de leurs premier
bon sens et liberté antique. Mais que ferons-nous de ce
Rameau et de ce Galland, qui, capparassonnéz de leurs marmi-
tons, suppous et astipulateurs, brouillent toute ceste académie
de Paris ? J'en suys en grande perplexité et n'ay encores résolu
quelle part je doibve encliner. Tous deux me semblent autrement bons compaignons et bien couilluz. L'un a des escuz
au soleil, je diz beaulz et tresbuchans ; l'autre en vouldroit
bien avoir. L'un a quelque sçavoir ; l'autre n'est ignorant.
L'un aime les gens de bien ; l'autre est des gens de bien aimé.
L'un est un fin et cauld renard ; l'aultre mesdisant, mesescri-
vant et abayant contre les antiques philosophes et orateurs,
comme un chien. Que t'en semble, diz, grand vietdaze Priapus ? J'ay maintes fois trouvé ton conseil et advis équitable et
pertinent, *et habet tua mentula mentem.*

— Roy Juppiter (respondit Priapus defleublant son capussion,
la teste levée, rouge, flamboyante et asseurée), puisque l'un
vous comparez à un chien abayant, l'aultre à un fin freté
renard, je suis d'advis que, sans plus vous fascher ne altérer,
d'eulx faciez ce que jadis feistez d'un chien et d'un renard.

— Quoy ? demanda Juppiter. Quand ? Qui estoient-ilz ?
Ou feut-ce ?

— O belle mémoire ! respondit Priapus. Ce vénérable père
Bacchus, lequel voyez cy, à face cramoisie, avoit pour soy
venger des Thébains un renard fée, de mode que, quelque mal
et dommaige qu'il feist, de beste du monde ne seroit prins ne
offensé. Ce noble Vulcan avoit d'œrain monesian faict un
chien et, à force de souffler, l'avoit rendu vivant et animé.
Il le vous donna ; vous le donnastes à Europe vostre mignonne ;
elle le donna à Minos ; Minos à Procris ; Procris enfin le
donna à Cephalus. Il estoit pareillement fée : de mode que,
à l'exemple des advocatz de maintenant, il prendroit toute

beste rencontrée, rien ne luy eschapperoit. Advint qu'ilz se rencontrèrent. Que feirent-ilz ? Le chien par son destin fatal doibvoit prendre le renard ; le renard par son destin ne doibvoit estre prins.

« Le cas fut rapporté à vostre conseil. Vous protestâtes non contrevenir aux destins. Les destins estoient contradictoires. La vérité, la fin, l'effect de deux contradictions ensemble feut déclairé impossible en nature. Vous en suastez d'ahan. De vostre sueur, tombant en terre, nasquirent les choux cabutz. Tout ce noble consistoire, par défault de résolution catégorique, encourut altération mirifique et feut en icelluy conseil beu plus de soixante et dix-huict bussars de nectar : par mon advis, vous les convertissez en pierres. Soubdain feustes hors toute perplexité ; soubdain feurent tresves de soif criées par haut ce grand Olympe. Ce feut l'année des couilles molles, près Teumesse, entre Thèbes et Chalcide.

« A cestuy exemple, je suis d'opinion que pétrifiez ces chien et renard : la métamorphose n'est incongneue. Tous deux portent nom de Pierre, et parce que, selon le proverbe des Limosins, à faire la gueule d'un four sont trois pierres nécessaires, vous les associerez à maistre Pierre du Coingnet, par vous jadis pour mesmes causes pétrifié. Et seront, en figure trigone équilatérale, on grand temple de Paris ou on mylieu du pervis, posées ces trois pierres mortes, en office de extaindre avecques le nez, comme au jeu de fouquet, les chandelles, torches, cierges, bougies et flambeaux alluméz, lesquelles, vivantes, allumoient couillonniquement le feu de faction, simulte[111], sectes couillonniques et partialete entre les ocieux escholiers. A perpétuele mémoire que ces petites philauties couillonniformes couillonniques plustost davant vous contempnées feurent que condamnées. J'ay dict.

— Vous leurs favorisez (dist Juppiter), à ce que je voy, bel messer Priapus. Ainsi n'estes à tous favorable. Car, veu que tant ilz couvoient perpétuer leur nom et mémoire, ce seroit bien leur meilleur estre ainsi après leur vie en pierres dures et marbrines convertiz que retourner en terre et pourriture. Icy darrière, vers ceste mer Thyrrène et lieux circumvoisins de l'Appennin, voyez-vous quelles tragédies sont excitées par certains pastophores[112] ? Ceste furie durera son temps comme les fours des Limosins, puis finira, mais non si tost. Nous y aurons du passetemps beaucoup. Je y voy un inconvénient : c'est que nous avons petite munition de fouldres depuis le temps que vous aultres condieux, par mon oultroy particulier, en jectiez sans espargne, pour vos esbatz, sus Antioche la neufve. Comme depuis, à vostre exemple, les gorgias champions qui

---

111. *Simulte* : faction ; **112.** *Pastophores* : prêtres égyptiens ; ici, prêtres en général.

entreprindrent guarder la forteresse de Dindenaroys contre
tous venens, consommèrent leurs munitions à force de tirer
aux moineaux, puis n'eurent de quoy, en temps de nécessité,
soy deffendre, et vaillamment cédèrent la place et se ren-
dirent à l'ennemy, qui jà levoit son siège comme tout forcené
et désespéré, et n'avoit pensée plus urgente que de sa retraicte,
acompagnée de courte honte. Donnez-y ordre, filz Vulcan !
esveiglez vos endermiz Cyclopes, Asteropes, Brontes, Arges,
Polyphème, Steropes Pyracmon ! mettez-les en besoigne et les
faictes boire d'autant ! A gens de feu ne fault vin espargner.
Or depeschons ce criart là-bas. Voyez, Mercure, qui c'est et
sachez qu'il demande. »

Mercure reguarde par la trappe des cieulx, par laquelle ce
que l'on dict çà-bas en terre ilz escoutent ; et semble proprement à un escoutillon de navire (Icaromenippe disoit qu'elle
semble à la gueule d'un puiz) ; et veoid que c'est Couillatris
qui demande sa coignée perdue, et en faict le rapport au
conseil.

« Vrayement (dist Juppiter), nous en sommes bien ! Nous
à ceste heure n'avons aultre faciende que rendre coignées
perdues ? Si fault-il luy rendre : cela est escript ès destins,
entendez-vous ? aussi bien comme si elle valust la duché de
Milan. A la vérité, sa coignée lui est en tel pris et estimation
que seroit à un Roy son royaulme. Zà çà, que ceste coignée
soit rendue ! Qu'il n'en soit plus parlé ! Resoulons le différent
du clergé et de la taulpeterie de Landerousse. Où en estions-
nous ? »

Priapus restoit debout au coing de la cheminée. Il, entendent
le rapport de Mercure, dist en toute courtoysie et joviale
honesteté :

« Roy Juppiter, on temps que, par vostre ordonnance et particulier bénéfice, j'estois guardian des jardins en terre, je notay
que ceste diction, *coignée,* est équivocque à plusieurs choses.
Elle signifie un certain instrument par le service duquel est
fendu et couppé boys. Signifie aussi (au moins jadis signifioit)
la femelle bien à poinct et souvent gimbretiletolletée, et veidz
que tout bon compaignon appelloit sa guarse fille de joye : ma
coignée. Car, avecques cestuy ferrement (cela disoit exhibant
son coignnouoir dodrental) ilz leurs coingnent si fièrement et
d'audace leurs emmanchouoirs qu'elles restent exemptes d'une
paour épidémiale entre le sexe féminin : c'est que du bas ventre
ilz leurs tombassent sur les talons, par défault de telles
agraphes. Et me souvient (car j'ay mentule, voyre diz-je
mémoire, bien belle et grande assez pour emplir un pot beur-
rier) avoir un jour du Tubilustre, ès féries de ce bon Vulcan en
may, ouy jadis en un beau parterre Josquin des Préz, Olkegan,
Hobrethz, Agricola, Brumel, Camelin, Vigoris, de la Fage,

Bruyer, Prioris, Seguin de la Rue, Midy, Moulu, Mouton, Guascoigne, Loyset, Compère, Penet, Fevin, Rouzée, Richardford, Rousseau, Consilion, Constantio Festi, Jacquet Bercan, chantans mélodieusement :

> Grand Tibault, se voulent coucher
> Avecques sa femme nouvelle,
> S'en vint tout bellement cacher
> Un gros maillet en la ruelle.
> « O! mon doux amy (ce dict-elle),
> Quel maillet vous voy-je empoingner?
> — C'est (dist-il) pour mieux vous coingner.
> — Maillet (dist-elle) il n'y fault nul :
> Quand gros Jan me vient besoingner,
> Il ne me coingne que du cul.

« Neuf Olympiades et un an intercalare après (ô belle mentule, voire, diz-je, mémoire! je solœcise[113] souvent en la symbolization et colliguance de ces deux motz), je ouy Adrian Villart, Gombert, Janequin, Arcadelt, Claudin, Certon, Manchicourt, Auxerre, Villiers, Sandrin, Sohier, Hesdin, Morales, Passereau, Maille, Maillart, Jacotin, Heurteur, Verdelot, Carpentras, Lhéritier, Cadéac, Doublet, Vermont, Bouteiller, Lupi, Pagnier, Millet, du Mollin, Alaire, Marault, Morpain, Gendre et aultres joyeulx musiciens en un jardin secret, soubz belle feuillade, autour d'un rampart de flaccons, jambons, pastéz et diverses cailles coyphées mignonnement, chantans :

> S'il est ainsi que coingnée sans manche
> Ne sert de rien, ne houstil sans poingnée,
> Affin que l'un dedans l'autre s'emmanche,
> Prends que soys manche, et tu seras coingnée.

Ores seroit à sçavoir quelle espèce de coingnée demande ce criart Couillatris. »

A ces motz, tous les vénérables Dieux et Déesses s'éclatèrent de rire comme un microcosme de mouches. Vulcan, avecques sa jambe torte, en feist pour l'amour de s'amie trois ou quatre beaulx petitz saulx en plate forme.

« Zà, çà! (dist Juppiter à Mercure) descendez praesentement là-bas, et jectez ès pieds de Couillatris troys coingnées : la sienne, une aultre d'or et une tierce d'argent massives, toutes d'un qualibre. Luy ayant baillé l'option de choisir, s'il prend la sienne et s'en contente, donnez-luy les deux aultres. S'il en prend aultre que la sienne, couppez-luy la teste avecques la sienne propre. Et désormais ainsi faictes à ces perdeurs de coingnées. »

---

113. *Je solœcise* : je fais erreur.

Ces parolles achevées, Juppiter, contournant la teste comme un cinge qui avalle pillules, feist une morgue tant espouvantable que tout le grand Olympe trembla.

Mercure avecques son chappeau poinctu, sa capeline, talonnières et caducée, se jecte par la trappe des cieulx, fend le vuyde de l'air, descend légièrement en terre, et jecte ès pieds de Couillatris les trois coingnées ; puis luy dict :

« Tu as assez crié pour boire. Tes prières sont exaulsées de Juppiter. Reguarde laquelle de ces troys est ta coingnée, et l'emporte. »

Couillatris soubliève la coingnée d'or, il la reguarde et la trouve bien poisante ; puis dict à Mercure :

« Marmes, ceste-cy n'est mie la mienne. Je n'en veulx grain. »

Autant faict de la coingnée d'argent, et dict :

« Non est ceste-cy. Je la vous quitte. »

Puis prend en main la coingnée de boys : il reguarde au bout du manche, en icelluy recongnoist sa marque et, tressaillant tout de joye comme un renard qui rencontre poulles esguarées et soubriant du bout du nez, dict :

« Merdigues, ceste-cy estoit mienne ! Si me la voulez laisser, je vous sacrifiray un bon et grand pot de laict, tout fin couvert de belles frayres, aux ides (c'est la quinzième jour) de may.

— Bonhomme (dist Mercure), je te la laisse, prens-la. Et, pour ce que tu as opté et soubhaité médiocrité en matière de coingnée, par le vueil de Juppiter je te donne ces deux aultres. Tu as de quoy dorénavant te faire riche ; soys homme de bien. »

Couillatris courtoisement remercie Mercure, révère le grand Juppiter, sa coingnée antique atache à sa ceincture de cuyr et s'en ceinct sus le cul, comme Martin de Cambray. Les deux aultres plus poisantes il charge à son coul. Ainsi s'en va prélassant par le pays, faisant bonne troigne parmy ses paroeciens et voysins, et leurs disant le petit mot de Patelin : « En ay-je ? »

Au lendemain, vestu d'une sequenie[114] blanche, charge sur son dours les deux précieuses coingnées, se transporte à Chinon, ville insigne, ville noble, ville antique, voyre première du monde, selon le jugement et assertion des plus doctes Massorethz. En Chinon il change sa coingnée d'argent en beaulx testons et aultre monnoye blanche ; sa coingnée d'or en beaulx salutz, beaulx moutons à la grande laine, belles riddes, beaulx royaulx, beaulx escutz au soleil. Il en achapte force mestairies, force granges, force censes, force mas, force bordes et bor-

---

114. *Sequenie* : souquenille.

dieux, force cassines, préz, vignes, boys, terres labourables, pastis, estangs, moulins, jardins, saulsayes, beufz, vaches, brebis, moutons, chèvres, truyes, pourceaulx, asnes, chevaulx, poulles, coqs, chappons, poulletz, oyes, jars, canes, canars, et du menu. Et en peu de temps feut le plus riche homme du pays voyre plus que Maulevrier le boyteux.

Les francs gontiers et Jacques Bonshoms du voysinage, voyans ceste heureuse rencontre de Couillatris, feurent bien estonnéz ; et feut en leurs espritz la pitié et commisération, que auparavant avoient du paouvre Couillatris, en envie changée de ses richesses tant grandes et inopinées. Si commencèrent courir, s'enquérir, guementer, informer par quel moyen, en quel lieu, en quel jour, à quelle heure, comment et à quel propous luy estoit ce grand thésaur advenu. Entendens que c'estoit par avoir perdu sa coingnée :

« Hen, hen ! (dirent-ilz) ne tenoit-il qu'à la perte d'une coingnée que riches ne feussions ? Le moyen est facile et de coust bien petit. Et doncques telle est on temps praesent la révolution des cieulx, la constellation des astres et aspect des planettes que quiconques coingnée perdera soubdain deviendra ainsi riche ? Hen, hen, ha ! par Dieu, coingnée, vous serez perdue, et ne vous en desplaise ! »

Adoncques tous perdirent leurs coingnées. Au diable l'un à qui demoura coingnée ! Il n'estoit filz de bonne mère qui ne perdist sa coingnée. Plus n'estoit abbatu, plus n'estoit fendu boys on pays, en ce défault de coingnées.

Encores dict l'apologue aesopicque que certains petitz janspill'hommes de bas relief, qui à Couillatris avoient le petit pré et le petit moulin vendu pour soy gourgiaser à la monstre, advertiz que ce thésaur luy estoit ainsi et par ce moyen seul advenu, vendirent leurs épées pour achapter coingnées, affin de les perdre comme faisoient les paysans, et par icelle perte recouvrir montjoye d'or et d'argent. Vous eussiez proprement dict que feussent petitz Romipètes, vendens le leur, empruntans l'aultruy pour achapter mandatz à tas d'un pape nouvellement créé. Et de crier, et de prier, et de lamenter, et invocquer Juppiter.

« Ma coingnée, ma coingnée, Juppiter ! Ma coingnée deczà, ma coingnée de là, ma coingnée, ho, ho, ho, ho ! Juppiter, ma coingnée ! »

L'air tout autour retentissait aux cris et hurlemens de ces perdeurs de coingnées.

Mercure feut prompt à leurs apporter coingnées, à un chascun offrant la sienne perdue, une aultre d'or et une tierce d'argent. Tous choisissoient celle qui estoit d'or, et l'amassoient, remercians le grand donateur Juppiter ; mais sus l'instant qu'ilz la levoient de terre, courbéz et enclins, Mercure leurs tranchoit

les testes, comme estoit l'édict de Juppiter. Et feut des testes
couppées le nombre égal et correspondent aux coignées
perdues.

2.2. LA MORT DU GRAND PAN (*Quart Livre*, CHAP. XXVIII)

COMMENT PANTAGRUEL RACONTE UNE PITOYABLE
HISTOIRE TOUCHANT LE TRESPAS DES HÉROES

CHAPITRE XXVIII

Epitherses, père de Æmilian rhéteur, naviguant de Grèce en
Italie dedans une nauf chargée de diverses marchandises et
plusieurs voyagiers, sus le soir, cessant le vent auprès des isles
Echinades, lesquelles sont entre la Morée et Tunis, feut leur
nauf portée près de Paxes. Estant là abourdée, aulcuns des
voyagiers dormans, aultres veiglans, aultres beuvans et soup-
pans, feut de l'isle de Paxes ouïe une voix de quelqu'un qui
haultement appelloit *Thamoun*. Auquel cry tous feurent espo-
vantéz. Cestuy Thamous estoit leur pilot, natif de Ægypte,
mais non congneu de nom, fors à quelques uns des voyagiers.
Feut secondement ouïe ceste voix, laquelle appelloit *Thamour*
en cris horrificques. Persone ne respondent, mais tous restans
en silence et trepidation, en tierce foys ceste voix feut ouïe plus
terrible que davant. Dont advint que Thamous respondit :
« Je suis icy, que me demande-tu ? que veulx-tu que je face ? »
Lors feut icelle voix plus haultement ouïe, luy disant et
commandant, quand il seroit en Palodes, publier et dire que
Pan le grand Dieu estoit mort.

« Ceste parolle entendue, disoyt Epitherses tous les nauchiers
et voyaigiers s'estre esbahiz et grandement effrayéz ; et entre
eulx délibérans quel seroit meilleur, ou taire, ou publier ce
que avoit esté commandé, dist Thamous son advis estre,
advenant que lors ilz eussent vent en pouppe, passer oultre
sans mot dire ; advenent qu'il feust calme en mer, signifier ce
qu'il avoit ouy. Quand doncques feurent près Palodes advint
qu'ilz n'eurent ne vent ne courant. Adoncques Thamous,
montant en prore et en terre projectant sa veue, dist, ainsi
que luy estoit commandé, que Pan le grand estoit mort. Il
n'avoit encores achevé le dernier mot quand feurent entend'uz
grands souspirs, grandes lamentations et effroiz en terre non
d'une personne seule, mais de plusieurs ensemble.

« Ceste nouvelle (parce que plusieurs avoient esté præsens)
feut bientoust divulguée en Rome. Et envoya Tibère Cæsar,
lors empereur en Rome, querir cestuy Thamous. Et, l'avoir
entendu parler, adjousta foy à ses parolles. Et se guementa

ès gens doctes qui pour lors estoient en sa court et en Rome
en bon nombre qui estoit cestuy Pan, trouva par leur raport
qu'il avoit esté filz de Mercure et de Pénélope.

« Ainsi auparavant l'avoient escript Hérodote et Cicero on
tiers livre *De la Nature des dieux*. Toutesfoys je le interpréte-
roys de celluy grand Servateur des fidèles, qui feut en Judée
ignominieusement occis par l'envie et iniquité des pontifes,
docteurs, presbtres et moines de la loy mosaïcque. Et ne me
semble l'interprétation abhorrente : car à bon droict peut-il
estre en languaige gregoys dict Pan, veu que il est le nostre
Tout, tout ce que sommes, tout ce que vivons, tout ce que
avons, tout ce que espérons est luy, en luy, de luy, par luy.
C'est le bon Pan, le grand pasteur, qui, comme atteste le
bergier passionné Corydon, non seulement a en amour et
affection ses brebis, mais aussi ses bergiers. A la mort duquel
feurent plaincts, souspirs, effroys et lamentations en toute la
machine de l'Univers, cieulx, terre, mer, enfers. A ceste miene
interprétation compète le temps, car cestuy très bon, très
grand Pan, nostre unique Servateur, mourut lèz Hiérusalem,
régnant en Rome Tibère Cæsar. »

Pantagruel, ce propous finy, resta en silence et profonde
contemplation. Peu de temps après, nous veismes les larmes
découller de ses œilz grosses comme œufz de austruche. Je me
donne à Dieu, si j'en mens d'un seul mot.

3. LE COMIQUE

Pour compléter une étude générale portant sur l'ensemble des
extraits donnés dans les trois Classiques, nous proposons cet épisode supplémentaire, extrait du *Quart Livre* (chap. XLV-XLVII).

COMMENT PANTAGRUEL DESCENDIT EN L'ISLE DES PAPEFIGUES

CHAPITRE XLV

Au lendemain matin, rencontrasmes l'isle des Papefigues, lesquelz jadis estoient riches et libres, et les nommoit-on Guaillardetz, pour lors estoient paouvres, malheureux et subjectz
aux Papimanes. L'occasion avoit esté telle.

Un jour de feste annuelle à bastons, les bourguemaistre syndicz
et gros rabiz[115] Guaillardetz estoient alléz passer temps et veoir
la feste en Papimanie, isle prochaine. L'un d'eulx, voyant le
protraict papal (comme estoit de louable coustume publicquement le monstrer ès jours de feste à doubles bastons), luy feist

---

115. *Rabiz* : rabbins.

la figue, qui est en icelluy pays signe de contempnement et dérision manifeste. Pour icelle vanger, les Papimanes, quelques jours après, sans dire guare, se mirent tous en armes, surprindrent, saccaigèrent et ruinèrent toute l'isle des Guaillardetz, taillèrent à fil d'espée tout homme portant barbe. Ès femmes et jouvenceaulx pardonnèrent, avecques condition semblable à celle dont l'empereur Fédéric Barberousse jadis usa envers les Milanois.

Les Milanois s'estoient contre luy absent rebelléz et avoient l'Impératrice, sa femme, chassé hors la ville, ignominieusement montée sus une vieille mule nommée Thacor à chevauchons de rebours, sçavoir est le cul tourné vers la teste de la mulle et la face vers la croppière.

Fédéric à son retour, les ayant subjuguéz et resserréz, feist telle diligence qu'il recouvra la célèbre mule Thacor. Adoncques, on mylieu du grand Brouet, par son ordonnance le bourreau mist ès membres honteux de Thacor une figue, præsens et voyans le citadins captifz ; puys crya de par l'Empereur, à son de trompe, que quiconques d'iceulx vouldroit la mort évader arrachast publicquement la figue avecques les dens, puys la remist on propre lieu sans ayde des mains. Quiconques en feroit refus seroit sus l'instant pendu et estranglé. Aulcuns d'iceulx eurent honte et horreur de telle tant abhominable amende, la postpousèrent à la craincte de mort et feurent penduz. Es aultres la craincte de mort domina sus telle honte. Iceulx, avoir à belles dens tiré la figue, la monstroient au boye apertement, disans : *Ecco lo fico.*

En pareille ignominie, le reste de ces paouvres et désoléz Guaillardetz feurent de mort guarantiz et sauvéz. Feurent faicts esclaves et tributaires, et leur feut imposé nom de *Papefigues,* parce qu'au protraict papal avoient faict la figue. Depuys celluy temps, les paouvres gens n'avoient prospéré. Tous les ans avoient gresle, tempeste, peste, famine et tout malheur, comme éterne punition du péché de leurs ancestres et parens.

Voyans la misère et calamité du peuple, plus avant entrer ne voulusmes. Seulement pour prendre de l'eaue béniste et à Dieu nous recommander, entrasmes dedans une petite chapelle près le havre, ruinée, désolée et descouverte, comme est à Rome le temple de sainct Pierre. En la chapelle entréz et prenens de l'eaue béniste, apperceusmes dedans le benoistier[116] un homme vestu d'estolles et tout dedans l'eaue caché, comme un canart au plonge, excepté un peu du nez pour respirer. Autour de luy estoient trois prebstres bien ras et tonsuréz, lisans le grimoyre et conjurans les diables.

---

116. *Benoistier :* bénitier.

Pantagruel trouva le cas estrange et, demandant quelz jeux c'estoient qu'ilz jouoient là, feut adverty que depuys troys ans passéz avoit en l'Isle régné une pestilence tant horrible que, pour la moitié et plus, le pays estoit resté désert et les terres sans possesseurs. Passée la pestilence, cestuy homme caché dedans le benoistier aroyt un champ grand et restile, et le semoyt de touzelle en un jour et heure qu'un petit diable (lequel encores ne sçavoit ne tonner ne gresler, fors seulement le persil et les choux, encores aussi ne sçavoit ne lire n'escrire) avoit de Lucifer impétré venir en ceste isle des Papefigues soy récréer et esbatre, en laquelle les diables avoient familiarité grande avecques les hommes et femmes, et souvent y alloient passer temps.

Ce diable, arrivé au lieu, s'adressa au laboureur et luy demanda qu'il faisoit. La paouvre homme luy respondit qu'il semoit celluy champ de touzelle pour soy ayder à vivre l'an suyvant.

« Voire, mais (dist le diable) ce champ n'est pas tien, il est à moy et m'appartient. Car depuys l'heure et le temps qu'au Pape vous feistez la figue, tout ce pays nous fut adjugé, proscript et abandonné. Bled semer, toutesfoys, n'est mon estat. Pour tant je te laisse le champ ; mais c'est en condition que nous partirons le profict.

— Je le veulx, respondit le laboureur.

— J'entens (dist le diable) que du profict advenent nous ferons deux lotz. L'un sera ce que croistra sus terre, l'autre ce que en terre sera couvert. Le choix m'appartient, car je suys diable extraict de noble et antique race, tu n'es qu'un villain. Je choizis ce que sera en terre ; tu auras le dessus. En quel temps sera la cuillette ?

— A my juillet, respondit le laboureur.

— Or (dist le diable) je ne fauldray me y trouver. Fays au reste comme est le doibvoir : travaille, villain, travaille ! Je voys tenter du guaillard péché de luxure les nobles nonnains de Pettesec, les cagotz et briffaulx aussi. De leurs vouloirs je suys plus que asceuré. Au joindre sera le combat. »

COMMENT LE PETIT DIABLE FEUT TROMPÉ PAR UN LABOUREUR DE PAPEFIGUIÈRE

CHAPITRE XLVI

La my juillet venue, le diable se représenta au lieu, acompaigné d'un escadron de petitz diableteaulx de cœur. Là rencontrant le laboureur, luy dist :

« Et puys, villain, comment t'es-tu porté depuys ma départie ? Faire icy convient nos partaiges.

— C'est (respondit le laboureur) raison. »

Lors commença le laboureur avecques ses gens seyer le bled. Les petitz diables de mesmes tiroient le chaulme de terre. Le laboureur battit son bled en l'aire, le ventit, le mist en poches, le porta au marché pour vendre. Les diableteaulx feirent de mesmes, et au marché près du laboureur, pour leur chaulme vendre, s'assirent. Le laboureur vendit très bien son bled et de l'argent emplit un vieulx demy brodequin, lequel il portoit à sa ceinture. Les diables ne vendirent rien ; ains au contraire les païzans en plein marché se mocquoient d'eulx.

Le marché clous, dist le diable au laboureur :

« Villain, tu m'as à ceste foys trompé, à l'aultre ne me tromperas.

— Monsieur le diable (respondit le laboureur), comment vous aurioys-je trompé, qui premier avez choisy ? Vray est qu'en cestuy choys me pensiez tromper, espérant rien hors terre ne yssir pour ma part, et dessoubs trouver tout entier le grain que j'avoys semé, pour d'icelluy tempter les gens souffreteux, cagots ou avares, et par temptation les faire en vos lacz tresbucher. Mais vous estez bien jeune au mestier. Le grain que voyez en terre est mort et corrompu, la corruption d'icelluy a esté génération de l'aultre que me avez veu vendre. Ainsi choisissiez-vous le pire. C'est pourquoy estez mauldict en l'Evangile.

— Laissons (dist le diable) ce propous. De quoy ceste année séquente pourras-tu nostre champ semer ?

— Pour profict (respondit le laboureur) de bon mesnagier, le conviendroit semer de raves.

— Or (dist le diable) tu es villain de bien ! Sème raves à force, je les guarderay de la tempeste et ne gresleray poinct dessus. Mais entends bien : je retiens pour mon partaige ce que sera dessus terre, tu auras le dessoubs. Travaille, villain, travaille ! Je voys tenter les héréticques : ce sont âmes friandes en carbonnade ; monsieur Lucifer a sa cholicque, ce luy sera une guorge chaulde. »

Venu le temps de la cuillette, le diable se trouva au lieu, avecques un esquadron de diableteaux de chambre. Là rencontrant le laboureur et ses gens, commença seyer et recuillir les feuilles des raves. Après luy le laboureur bêchoit et tiroyt les grosses raves, et les mettoit en poches. Ainsi s'en vont tous ensemble au marché. Le laboureur vendoit très bien ses raves. Le diable ne vendit rien. Que pis est, on se mocquoit de luy publicquement.

« Je voy bien, villain (dist adoncques le diable), que par toy je suys trompé. Je veulx faire fin du champ entre toy et moi.

Ce sera en tel pact que nous entregratterons l'un l'aultre et qui de nous deux premier se rendra, quittera sa part du champ. Il entier demourera au vaincueur. La journée sera à huytaine. Va, villain, je te gratteray en diable ! Je alloys tenter les pillars chiquanous, desguyseurs de procès, notaires faulsères, advocatz prévaricateurs ; mais ilz m'ont faict dire par un truchement qu'ilz estoient tous à moy. Aussi bien se fasche Lucifer de leurs âmes et les renvoye ordinairement aux diables souillars de cuisine, sinon quand elles sont saulpoudrées. Vous dictez qu'ils n'est desjeuner que de escholiers, dipner que d'advocatz, ressiner[117] que de vinerons, souper que de marchans, reguoubillonner[118] que de chambrières, et tous repas que de farfadetz? Il est vray : de faict, monsieur Lucifer se paist à tous ses repas de farfadetz pour entrée de table. Et se souloit desjeuner de escholiers. Mais (las !) ne sçay par quel malheur, depuys certaines années ilz ont avecques leurs estudes adjoinct les saincts Bibles : pour ceste cause plus n'en pouvons au diable l'un tirer. Et croy que si les caphards ne nous y aident, leurs oustans par menaces, injures, force, violence, et bruslemens leur sainct Paul d'entre les mains, plus à bas n'en grignoterons.

« De advocatz pervertisseurs de droict et pilleurs des paouvres gens, il se dipne ordinairement, et ne luy manquent. Mais on se fasche de tousjours un pain manger. Il dist naguères en plein chapitre qu'il mangeroit voluntiers l'âme d'un caphard qui eust oublié soy en son sermon recommander, et promist double paye et notable appoinctement à quiconques luy en apporteroit une de broc en bouc. Chascun de nous se mist en queste, mais rien n'y avons proficté. Tous admonnestent les nobles dames donner à leur convent.

« De ressjeuner il s'est abstenu depuys qu'il eut sa forte colique, provenente à cause que ès contrées boréales l'on avoit ses nourrissons, vivandiers, charbonniers et chaircuitiers oultragé villainement. Il souppe très bien de marchands usuriers, apothécaires, faulsaires, billonneurs, adultérateurs de marchandises. Et quelquesfoys qu'il est en ses bonnes, reguobillonne de chambrières, lesquelles, avoir beu le bon vin de leurs maistres, remplissent le tonneau d'eaue puante.

« Travaille, villain, travaille ! Je voys tenter les escholiers de Trébizonde laisser pères et mères, renoncer à la police commune, soy émanciper des édictz de leur roy, vivre en liberté soubterraine, mespriser un chascun, de tous se mocquer et, prenans le beau et joyeulx petit béguin d'innocence poëticque, soy tous rendre farfadetz gentilz. »

---

117. *Ressiner* : collation ; 118. *Reguoubilloner* : réveillon.

JUGEMENTS SUR RABELAIS ET SUR SON ŒUVRE

L'attitude divisée du XVIᵉ siècle.

L'œuvre de Rabelais était trop engagée pour que les jugements de ses contemporains ne fussent pas très divers. Rabelais eut ses approbateurs :

Au premier rang apparaît Rabelais, maître suprême dans les études qui te révèlent, ô sagesse sacrée.

Vulton (1538).

Non, ce n'était pas un bouffon, ni un farceur trivial. Mais avec un génie raffiné, il raillait le genre humain et la crédulité de ses espérances. [...] Nouveau Démocrite, il riait des vaines craintes et des désirs du vulgaire et des princes, et de leurs frivoles soucis, et des travaux anxieux de cette courte vie où se consume tout le temps que veut bien accorder la divinité bienveillante.

P. Boulanger (1587).

Mais il suscita surtout de violentes condamnations, d'origine catholique ou protestante :

Faiseur de bons mots, vivant de sa langue, parasite, à la rigueur on le supporterait; mais qu'il se damne en même temps, que chaque jour il se saoule et s'empiffre, qu'il ait des mœurs grecques; qu'il flaire les odeurs de toutes les cuisines, qu'il imite le singe à longue queue, et de plus souillant son papier d'infamies, qu'il vomisse un poison qui infecte peu à peu toutes les contrées; qu'il lance la calomnie et l'impose sur tous les ordres indistinctement; qu'il attaque les honnêtes gens et les pieuses études, et les droits de l'honneur; qu'il se gausse sans vergogne ni ombre d'honnêteté, comment le supporte-t-on? Fait inouï, un évêque de notre religion, le premier par le rang et par la science, protège, nourrit et admet à sa table un tel vivant défi aux bonnes mœurs et à l'honnêteté publique : que dis-je, leur pire ennemi, l'homme impur et pourri qui possède tant de bagou et si peu de raison.

Gabriel du Puy Herbault,
Théotimus (1549).

Voici un rustre qui aura des brocards vilains contre l'Écriture sainte : comme ce diable qui s'est nommé Pantagruel, et toutes ces ordures et vilenies : tous ceux-là ne prétendent point de mettre quelque religion nouvelle, pour dire qu'ils soient abusés en leurs folles fantaisies : mais ce sont des chiens enragés qui dégorgent leurs ordures à l'encontre de la majesté de Dieu et ont voulu pervertir toute religion.

Calvin,
Opera, tome XXVII (1555).

Entre ces réactions extrêmes, certains jugements offrent un curieux mélange de sympathie et d'incompréhension, comme ces épitaphes des deux plus grands poètes de la Pléiade :

C'est moi Pamphagus, qui gis ici, enseveli sous la masse immense de l'énorme ventre qui me sert de tertre funéraire. Le sommeil et la gourmandise, les femmes et la raillerie furent mes seules divinités durant ma vie. Qui peut ignorer le reste ? J'ai possédé l'art et la pratique de la médecine, mais ma grande affaire fut de pratiquer le rire.

Joachim Du Bellay,
traduction d'une épitaphe latine.

> Si d'un mort qui pourri repose
> Nature engendre quelque chose,
> Et si la génération
> Se fait de la corruption,
> Une vigne prendra naissance
> De l'estomac et de la panse
> Du bon Rabelais qui buvait
> Toujours cependant qu'il vivait. [...]
> O toi, quiconque sois, qui passes,
> Sur sa fosse répands des tasses,
> Répands du bril et des flacons,
> Des cervelas et des jambons ;
> Car si encor dessous la lame
> Quelque sentiment a son âme,
> Il les aime mieux que les lys
> Tant soient-ils fraîchement cueillis.

Ronsard,
Bocage, Épitaphe de François Rabelais (1554).

La condamnation au nom de la bienséance.

Au XVIIᵉ siècle, les rééditions de Rabelais continuent de faire de lui un grand succès de librairie ; pourtant les bons esprits affectent de le condamner, non pas pour des motifs idéologiques, puisqu'on ne comprend plus guère sa satire de la religion, mais pour des raisons de bon goût et de convenance.

Pour Rabelais, il n'est rempli que de sots contes, qui sont si monstrueux qu'un homme de bon jugement ne saurait avoir la patience de lire tout. Son Gargantua, son Pantagruel, ses Andouilles armées, ce sont toutes niaiseries d'enfants. [...] D'ailleurs, tout cela n'est point agréable, et le discours n'est rempli que de quolibets de taverne, sans que l'on puisse dire en le lisant : voilà une rencontre qui me plaît. Toutefois il y a des hommes si sots que d'estimer cet auteur, pour ce qu'ils croient qu'il a écrit l'histoire de son temps parmi les folâtreries. [...] Quand cela serait, [...] je serais d'avis que Rabelais eût fait une clef pour son livre, afin que la postérité y entendît quelque chose.

Charles Sorel,
le Berger extravagant (1628).

Marot et Rabelais sont inexcusables d'avoir semé l'ordure dans leurs écrits : tous deux avaient assez de génie et de naturel pour pouvoir s'en passer, même à l'égard de ceux qui cherchent moins à admirer qu'à rire dans un auteur. Rabelais surtout est incompréhensible. Son livre est une énigme, quoi qu'on veuille dire, inexplicable. [...] C'est un monstrueux assemblage d'une morale fine et ingénieuse et d'une sale corruption. Où il est mauvais, il passe bien loin au-delà du pire, c'est le charme de la canaille; où il est bon, il va jusques à l'exquis et à l'excellent, il peut être le mets des plus délicats.

La Bruyère,
les Caractères, livre premier (1690).

Vers une réhabilitation.

Au XVIIIe siècle, le goût et ses conventions n'ont guère changé, mais l'intelligence a progressé : d'où les nuances dans les jugements d'un Voltaire, qui reconnaît en Rabelais un compagnon de lutte et, par ailleurs, lui doit beaucoup en tant qu'écrivain :

Rabelais, dans son extravagant et inintelligible livre, a répandu une extrême gaieté et une plus grande impertinence; il a prodigué l'érudition, les ordures et l'ennui; un bon conte de deux pages est acheté par des volumes de sottises; il n'y a que quelques personnes d'un goût bizarre qui se piquent d'entendre et d'estimer tout cet ouvrage, le reste de la nation rit des plaisanteries de Rabelais et méprise le livre. On le regarde comme le premier des bouffons, on est fâché qu'un homme qui avait tant d'esprit en ait fait un si misérable usage; c'est un philosophe ivre qui n'a écrit que dans le temps de son ivresse.

Voltaire,
Lettres philosophiques, XXIII (1734).

J'ai relu [...] quelques chapitres de Rabelais, comme le combat de frère Jean des Entommeures, et la tenue du Conseil de Picrochole (je le sais pourtant presque par cœur); mais je les ai relus avec un très grand plaisir, parce que c'est la peinture du monde la plus vive. Ce n'est pas que je mette Rabelais à côté d'Horace; mais, si Horace est le premier des faiseurs de bonnes épîtres, Rabelais, quand il est bon, est le premier des bons bouffons. Il ne faut pas qu'il y ait deux hommes de ce métier dans une nation; mais il faut qu'il y en ait un. Je me repens d'avoir dit autrefois trop de mal de lui.

> Voltaire,
> *Lettre à Mme Du Deffand* (12 avril 1760).

Son livre, à la vérité, est un ramas des plus impertinentes et des plus grossières ordures qu'un moine ivre puisse vomir; mais aussi il faut avouer que c'est une satire sanglante du pape, de l'Église, et de tous les événements de son temps. Il voulut se mettre à couvert sous le masque de la folie; il le fait assez entendre lui-même dans son prologue.

> Voltaire,
> *Lettres à Son Altesse le prince de Brunswick*, tome Ier (1767).

L'admiration des romantiques.

La génération romantique, délivrée des préceptes du goût classique, admire la puissance créatrice de Rabelais; elle voit en lui un des esprits les plus caractéristiques de ce XVIe siècle, dont elle restaure la gloire.

Shakespeare est au nombre des cinq ou six écrivains qui ont suffi aux besoins et à l'aliment de la pensée : ces génies mères semblent avoir enfanté et allaité tous les autres. Homère a fécondé l'Antiquité. [...] Dante a engendré l'Italie moderne. [...] Rabelais a créé les lettres françaises; Montaigne, La Fontaine, Molière viennent de sa descendance. [...] De tels génies occupent le premier rang; leur immensité, leur variété, leur fécondité, leur originalité les font reconnaître tout d'abord pour lois, exemplaires, moules, types des diverses intelligences, comme il y a quatre ou cinq races d'hommes, dont les autres ne sont que des nuances ou des rameaux. Donnons-nous garde d'insulter aux désordres dans lesquels tombent quelquefois ces êtres puissants.

> Chateaubriand,
> *Essai sur la littérature anglaise*, seconde partie (1836).

Ce fut tout à la fois Érasme et Boccace, Reuchlin et Marguerite de Navarre; ou plutôt de tous ces souvenirs, confondus, digérés et vivifiés au sein d'un génie original, sortit une œuvre inouïe, mêlée de science, d'obscénité, de comique, d'éloquence et de fantaisie, qui rappelle tout sans être comparable à rien, qui vous saisit et vous déconcerte, vous enivre et vous dégoûte.

Sainte-Beuve,
Tableau de la poésie du XVIe siècle (1828).

Et voilà les prêtres du rire. [...]
Entre Démocrite et Térence,
Rabelais, que nul ne comprit;
Il berce Adam pour qu'il s'endorme,
Et son éclat de rire énorme
Est un des gouffres de l'esprit!

Victor Hugo,
les Contemplations, VI, 23 (1856).

Rabelais. Quel homme et qu'était-il? Demandez plutôt ce qu'il n'était pas. Homme de toute étude, de tout art, de toute langue, le véritable Pan-ourgos, agent universel dans toutes les sciences et dans les affaires, qui fut tout et fut propre à tout, qui contient le génie du siècle et le déborde à tout instant.

Michelet,
Histoire de France (1855-1867).

Seuls quelques attardés émettent un jugement discordant. La pudeur lamartinienne ne saurait s'accommoder de la verve rabelaisienne.

Nous ne parlerons ici de Rabelais, le génie ordurier du cynisme, le scandale de l'oreille, de l'esprit, du cœur et du goût, le champignon vénéneux et fétide, né du fumier du cloître du Moyen Age, le pourceau grognant de la Gaule, non le pourceau du troupeau d'Épicure. [...] Rabelais, selon nous, ne représente pas le plaisir, mais l'ordure; il enivre, mais en infectant. La jeune école littéraire du réalisme, qui s'évertue aujourd'hui à le réhabiliter, ne parviendra qu'à salir l'imagination sans parvenir à le laver.

Lamartine,
Cours familier de littérature (1856).

La critique moderne.

Il arrive que le vieillissement de la langue détourne nos contemporains de la lecture de Rabelais.

Ce vieux français, c'est incompréhensible. Rabelais est un de ces auteurs dont je n'ai pas lu une ligne.

Henry de Montherlant.

Ceux qui ont su surmonter cette difficulté s'en savent généralement gré.

Rabelais, ce sont les entrailles de la France, les grandes orgues d'une cathédrale pleine des grimaces du diable et des sourires des anges. Le seul respect m'a empêché d'écrire sur son œuvre.

Jean Cocteau.

Mais notre siècle s'est surtout efforcé de parvenir à une compréhension meilleure de Rabelais, sans que les conclusions se soient pour autant accordées, chacun mettant l'accent sur un aspect différent.

Rabelais fut, sans le savoir, le miracle de son temps. Dans un siècle de raffinement, de grossièreté et de pédantisme, il fut incomparablement exquis, grossier et pédant. Son génie trouble ceux qui lui cherchent des défauts. Comme il les a tous, on doute avec raison qu'il en ait aucun. Il est sage et il est fou. [...] Par le style, il est prodigieux et, bien qu'il tombe souvent dans d'étranges aberrations, il n'y a pas d'écrivain supérieur à lui, ni qui ait poussé plus avant l'art de choisir et d'assembler les mots.

Anatole France,
article du *Temps* (21 avril 1889),
publié ensuite dans *la Vie littéraire* (1892).

Comme penseur, il fonde ce qui avait déjà paru avec Jean de Meung, et qui ne pouvait recevoir toute sa force et tout son sens que de l'humanisme seul : il fonde le culte antichrétien de la nature, de l'humanité raisonnable et non corrompue. Comme artiste, il résume et dépasse de bien loin ces essais [...], ces timides esquisses de la vie morale, des formes et du jeu des âmes. [...] Mieux que la farce, il prépare l'éclosion de la comédie de Molière. Enfin, par son impartiale représentation de la vie, dont nulle étroitesse de doctrine, nul scrupule de goût, nul parti pris d'art ne l'empêche de fixer tous les multiples et inégaux aspects, il est et demeure la source de tout réalisme, plus large à lui seul que tous les courants qui se séparent après lui !

Gustave Lanson,
Histoire de la littérature française (1894).

Si l'on veut d'un mot définir ou caractériser l'œuvre de Rabelais, on n'en trouve pas d'autre, il n'y en a pas d'autre en français que celui de *Poème*. En vérité, c'est un poème que l'épopée bouffonne de Gargantua et de Pantagruel. Elle en a l'apparence et l'allure;

elle en a l'inspiration profonde; elle en a le charme et la séduction du style : on pourrait dire, on doit dire qu'elle en respire encore et surtout l'enthousiasme.

Ferdinand Brunetière,
Histoire de la littérature classique, tome Ier (1904).

Le maître Alcofribas ne se serait pas réincarné autrement, trois siècles plus tard, que dans l'auteur des *Contes drolatiques* et de *la Comédie humaine*.

Une remarque toutefois : Balzac est l'homme du règne de la bourgeoisie; Rabelais est l'un des derniers clercs du Moyen Age, savoir un intellectuel qui n'a point cure de la société, y ayant sa place assurée et gardée. Cela lui permet une audace plus grande. [...] Rabelais est le prosateur le plus achevé, le plus varié, le plus savant et ensemble le plus génial que nous présente l'histoire des lettres françaises. Oui, à le bien pratiquer, on voit qu'il a réuni tout en lui, tous les styles, toutes les manières; Bossuet, Michelet, Voltaire, Hugo, La Bruyère, Chateaubriand même, tout est préfiguré, ou mieux, réalisé déjà dans la prose de Rabelais.

André Thérive,
Retour d'Amazan (1926).

Si *la Divine Comédie* de Dante symbolise le côté grave et mystique de la nature humaine, la doctrine absconse du Moyen Age et ses subtilités métaphysiques, *Gargantua* et *Pantagruel*, représentent la contrepartie, le côté joyeux et expansif, le libre épanouissement de l'individu, le savoir encyclopédique de la Renaissance.

Louis Sainéan,
l'Influence et la réputation de Rabelais (1930).

L'auteur du *Gargantua* et du *Pantagruel* est un savant qui se délasse en écrivant de joyeux « narrés » et propos. Ces facéties, ces « folastries » reflètent parfois les idées sérieuses de l'humaniste et de l'érudit. La plupart de celles-ci sont d'ailleurs celles de l'élite intellectuelle du siècle de la Renaissance.

Jean Plattard,
François Rabelais (1932).

L'exploration du réel par l'imagination, l'enthousiasme et le rire lui permit de départager l'*illusoire* (le religieux, l'occulte, le proprement mythique) du *possible*. Ne confondons pas la richesse titanique avec la confusion. Dans une transition prodigieusement complexe entre deux époques — entre deux modes de production —, Rabelais eut le génie d'un *clarificateur*. Il plongeait dans le passé en rejetant le dépassé, en apercevant le possible. Il parvint non seulement à exprimer son temps, c'est-à-dire à le formuler et à agir sur lui dans le sens du possible prochain, mais à aller au-delà, dans le sens du possible le plus lointain et le plus grandiose : le règne de la liberté.

Henri Lefebvre,
Rabelais (1953).

Notre siècle est aussi celui où la gloire de Rabelais a franchi nos frontières pour devenir pleinement universelle : partout dans le monde chacun cherche à s'emparer de Rabelais pour lui faire exprimer ses propres vérités.

Gargantua et *Pantagruel* dévoilent aussi la véritable figure du monde féodal, avec ses lois barbares et la fausse science de la scolastique médiévale. Rabelais condamne, avec une virulence que rien n'attiédit, les institutions féodales, parce que l'ordre social alors déclinant n'avait d'autre fin que l'exploitation des masses laborieuses : il montre que les contradictions qui déchirent la société de son temps ne tolèrent pas de conciliation. Ses sarcasmes aigus portent de terribles coups aux forces du passé, à tout ce qui est noir, à tout ce qui est mal. C'est pourquoi, de son temps, les tenants du passé l'ont sans relâche persécuté. C'est aussi la raison pour laquelle son roman, de nos jours encore, brille d'une lumière qui porte très loin et fait l'enchantement de tous ses lecteurs.

Zheng Zheng-duo,
Commémoration du quatrième centenaire de Rabelais,
Pékin (1953).

SUJETS DE DEVOIRS ET D'EXPOSÉS SUR RABELAIS ET SUR SON ŒUVRE

● Commentez cette affirmation de Rabelais sur son œuvre : « Je ne bâtis que pierres vives : ce sont hommes. »

● Rabelais et l'amour de la vie, de la nature, du corps.

● La renaissance d'après Rabelais.

● Rabelais n'est-il pas à beaucoup d'égards encore un homme du Moyen Age ? Montrez que c'est ce fait même qui justifie la critique à laquelle il se livre contre le Moyen Age.

● Les diverses formes de la critique de la religion et leur portée.

● Quelle est, d'après son œuvre, l'attitude de Rabelais envers les rois en général et la royauté française en particulier ?

● Comparez les personnages de Panurge dans *Pantagruel* et de frère Jean dans *Gargantua*. Quelles sont leurs ressemblances et leurs différences ? Comment l'un a-t-il pris la place de l'autre et comment peuvent-ils coexister dans la suite de l'œuvre ?

● On oppose en général les idées pédagogiques de Montaigne à celles de Rabelais. Vous montrerez, en effet, que l'auteur de *Gargantua* et celui des *Essais* ne conçoivent pas de la même manière l'éducation d'un jeune homme; mais vous examinerez aussi ce qu'il y a de commun entre ces deux programmes si différents.

● En quoi l'œuvre de Rabelais mérite-t-elle l'appellation de « roman » ?

● Pourquoi certains critiques font-ils de Rabelais avant tout un poète ?

● Les différentes formes de l'esprit dans l'œuvre de Rabelais.

● Étudiez le mélange du merveilleux et des différentes sortes de réalisme dans la guerre picrocholine (*Gargantua*, chap. XXV-L). Quelles conclusions peut-on en tirer pour toute l'œuvre de Rabelais ?

● Pourquoi Marcel Aymé voit-il en Rabelais « le premier des surréalistes »?

● Comment expliquez-vous ce jugement d'un contemporain de Rabelais : « Quelle idée t'est venue dans l'esprit de détourner sans cesse nos écoliers de leur honnête devoir qui est l'étude des belles-lettres et l'amour des saintes Écritures? Car préfères-tu qu'ils perdent méchamment toute leur belle jeunesse dans tes fondrières, sur des contes populaires obscurs, des badinages, des livres lucratifs, dans la barbarie honteuse, dans l'ordure et dans la boue? »

● Commentez cette affirmation de Voltaire : « Il faut avouer que c'est une satire sanglante du pape, de l'Église, et de tous les événements de son temps. Il voulut se mettre à couvert sous le masque de la folie; il le fait assez entendre lui-même dans son prologue. »

● Commentez et discutez ce jugement d'un critique contemporain : « Le *Pantagruel*, encore très médiéval, n'en déclare pas moins la faillite et la liquidation du Moyen Age. Rabelais encore médiéval au sens populaire, puisqu'il reprend des traditions, des contes, des mythes, renvoie dans un le passé le Moyen Age ecclésiastique et seigneurial [féodal]. S'il prolonge donc en un sens le Moyen Age, c'est dans le sens non conformiste. Il peut donc en même temps exprimer une conception nouvelle du monde et de la vie. »

● En quoi ce jugement de Chateaubriand est-il juste : « Rabelais a créé les lettres françaises; Montaigne, La Fontaine, Molière viennent de sa descendance »?

● Que pensez-vous de ce jugement d'un critique contemporain : « Il est certain que si Rabelais soutient la comparaison avec Molière, Pascal ou Balzac, c'est qu'il échappe sur un certain plan à l'histoire »?

● Commentez et discutez ce jugement de Baudelaire : « Rabelais, qui est le grand maître français en grotesque, garde au milieu de ses plus énormes fantaisies quelque chose d'utile et de raisonnable. Il est directement symbolique. Son comique a presque toujours la transparence d'un apologue. »

● Commentez ce jugement d'André Gide (*Journal*, 1952) : « Qu'ai-je affaire de paraître spirituel? L'épaisseur des grands comiques, des Cervantes, Molière, Rabelais. Leur rire est générosité. Celui qui sourit seulement se croit supérieur; il se prête, l'autre se donne. »

TABLE DES MATIÈRES

IMPRIMERIE HÉRISSEY. — 27000 ÉVREUX.
Dépôt légal : Juillet 1972. — Nº 51284. — Nº de série Éditeur : 15450.
IMPRIMÉ EN FRANCE *(Printed in France).* — 870 137 I - mai 1990.